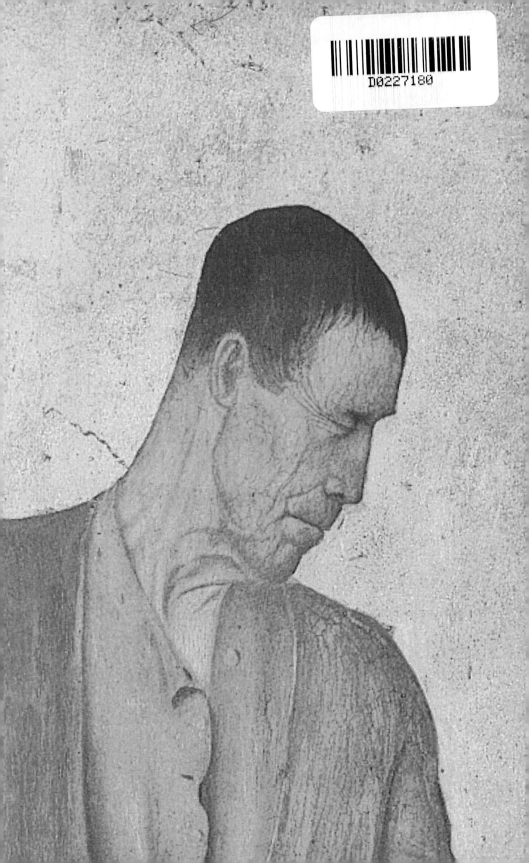

La collection
ROMANICHELS
est dirigée par
André Vanasse

Tessons

La publication de cet ouvrage a été rendue possible grâce à l'aide financière du ministère des Communications du Canada, du Conseil des Arts du Canada, du ministère de la Culture et des Communications du Québec et de la Société de développement des entreprises culturelles.

© XYZ éditeur
1781, rue Saint-Hubert
Montréal (Québec)
H2L 3Z1
Téléphone : 514.525.21.70
Télécopieur : 514.525.75.37
Courriel : xyzed@mlink.net

et

Bertrand Gervais

Dépôt légal : 4ᵉ trimestre 1998
Bibliothèque nationale du Canada
Bibliothèque nationale du Québec
ISBN 2-89261-247-0

Distribution en librairie :
Dimedia inc.
539, boulevard Lebeau
Ville Saint-Laurent (Québec)
H4N 1S2
Téléphone : 514.336.39.41
Télécopieur : 514.331.39.16

Conception typographique et montage : Édiscript enr.
Maquette de la couverture : Zirval Design
Photographie de l'auteur : Laetitia de Coninck
Illustrations : Gustaaf van de Woestijne, *Le mauvais semeur*, 1908

Bertrand Gervais

Tessons

récits

XYZ
éditeur

Romanichels

À Hélène

Nul ne s'y retrouve
qu'il ne s'y soit perdu d'abord.

ANDRÉ GIDE

L'oubli

Londres, enfin, et l'Eurostar qui entre en gare. Les passagers sont debout dans l'allée. Quelqu'un applaudit, comme si le tunnel sous la Manche avait été un spectacle. Toute cette eau traversée. D'autres enchaînent. Sauf nous. Nos mains sont déjà ailleurs. J'ai le goût de glisser mes doigts le long de son épine dorsale, de passer ma main sous sa ceinture. Il a ce sourire énigmatique qu'il adopte quand je me rends trop loin. Tant pis.

À ma grande surprise, son anglais est excellent. Fluide. Nous cherchons l'entrée du métro. *The Tube.* Il comprend tout, sans hésiter. Je capte quelques mots, mais je me perds dans les dédales. Alourdie de valises, je ne m'oriente qu'avec difficulté. Je parle bien, mais je ne comprends pas tout. Il s'amuse à reproduire les accents, mouillant ses voyelles pour répondre aux distorsions ambiantes. J'ai faim et, si je pouvais, j'avalerais quelques fruits. J'aime les raisins. Je les mange frais, une grappe ne me dure pas une journée, je les arrache un à un et les broie lentement. J'aime quand la petite peau se rompt et que la pulpe jaillit, froide, fondante.

Dans le métro, je me sens toujours fragile. Toutes ces lignes courbes, les vieux bancs, le grincement des roues sur les rails, les vibrations du châssis. Un vieux manège rouillé. Je me tiens serrée contre Liam. Il a glissé sa main sous ma veste de cuir, sous mon pull gris et son index suit déjà la ligne de mon soutien-gorge. J'écarte délicatement les bras. Nous sommes venus ici en amoureux, notre premier voyage. Je mangerais une pêche avec sa peau, sucerais une mangue jusqu'au noyau. Je murmure un petit encouragement.

À l'hôtel, les murs sont sales et le lit affaissé. Il y a un grand miroir sur la commode. L'après-midi est jeune. Nous avons été chercher des provisions, tout près de Russel Square. Des kiwis, du chocolat noir, du scotch. Il a toujours soif. Il me répète mon nom à l'oreille. À la réception, je l'ai taquiné, introduisant ma main entre ses cuisses. Il s'est retourné et m'a fait un geste vulgaire que le préposé a intercepté. Le flegme des Britanniques est surprenant.

Le miroir de la commode rend avec précision ses moindres gestes, mes soupirs. Je murmure son nom, comme il m'a appris à le faire. Il est derrière moi, debout, mes fesses collées contre ses cuisses. Légèrement écartées. Je plaque mes paumes contre son pantalon. Le tissu est rugueux, tendu. Ses doigts glissent le long de mes côtes, mon soutien-gorge détaché, mes mamelons durcis, ses mains entre le tissu et la chair. Je n'ai rien perdu de mes vêtements et je suis d'une nudité à me couper le souffle. Ses mains sont des pinces et une douleur sourde se propage à mon sexe. Je me détache, mes yeux se ferment, mon torse s'enfle, semble se fendre.

Je renverse la tête, ses lèvres sur mon cou, ses dents contre ma peau. Sa main se faufile le long de mon ventre, s'enfonce dans mon pantalon et, quand son majeur s'approche de mes poils, quand le bout de son doigt s'arrête à l'orée de mes lèvres, avant de glisser jusqu'au cœur de mon corps, aussi aisément qu'on plonge ses mains dans des viscères, son ongle froid comme de la vitre contre la fine membrane de mon plaisir, les petites vibrations de son pouls qui tambourine à la frange de mes sens, mes muqueuses, la sueur de ma peau que la dentelle de mon dessous n'absorbe plus, mes fesses en alerte, je perds toute contenance et je m'oublie.

Il est l'amant le plus intense que j'aie jamais eu. Quand nous faisons l'amour, j'en oublie jusqu'au temps qui passe. Littéralement. Un pur présent. Nous entrons dans un univers où les lois n'ont plus de prise sur nos pulsions. De ses ongles, il me déchire la peau du dos, trace des figures sur mon ventre, des signes humides, creuse des sillons le long de mes veines. Il me prend brutalement. Il me pénètre lentement. Je jouis dans l'oubli total, liquéfiée de l'intérieur. Un corps d'eau. Ses pensées s'insèrent dans des lieux que je n'ai jamais nommés.

Il parle peu. Et je voudrais tout dire. Commenter nos moindres gestes. Mes propres excès. J'émets pourtant des sons confus. Échos de bruits de chairs qui se frappent, d'os qui craquent, de désirs étouffés. Les heures ne se comptent plus, les perceptions se perdent, mes mains attachées à la base de son cou.

À mon réveil, la salive séchée ferme mes lèvres, salée et rugueuse, et le drap est rigide de toutes nos sécrétions maintenant refroidies. Les rideaux entrebâillés laissent entrer des traits de lumière qui séparent nos corps en fines lamelles. Il dort encore. La poussière en suspension dessine un édifice aux formes régulières, une grande porte, une fenêtre, des arabesques, un paon et même un ange. Un rai de lumière, fin comme un poinçon, s'est posé sur sa tête, dorant ses cheveux. Son insouciance est complète. Je brûle d'envie de mettre ma main là où la peau s'échauffe. J'épluche une orange, avec minutie, de la pulpe jusque sous les ongles.

— Liam, je t'aime.

— Mélanie, je te désire, ma petite pomme.

— Depuis notre rencontre, je ne te quitte plus.

— J'étais somnolent sur un banc public.

C'est un cérémonial qu'il affectionne particulièrement. Nous le reprenons à chaque éveil, comme une prière. Impossible d'y déroger. Au début, je résistais, sans savoir pourquoi. Je me sentais ridicule à répéter les mêmes choses, qui tombaient sous le sens. Maintenant, je suis conquise par le romantisme du rituel, cette marque d'intimité qui s'établit dès le lever.

— Je me croyais dans l'oubli, mais je t'attendais déjà.

— Mes pas m'ont menée jusqu'à toi.

— Je t'ai rencontrée. Et déjà je me sens revivre.

Ce sont de simples mots que nous échangeons, mais ils donnent à la journée une rare intensité, voisine de la naïveté par son charme, mais lourde aussi comme une étreinte brusque contre le mur. Je commence toujours par lui redonner son nom et je refais son identité, comme je me maquille le matin, un trait à la fois.

Nous repassons, dans la tendresse, notre vie commune. Ces quelques mois ensemble, ce projet qui nous a menés à Londres, où il a déjà habité mais dont il a tout oublié, jusqu'à son adresse. Et nous nous racontons la journée que nous vivrons. Nous redisons tout, comme si la nuit avait brisé le lien avec la veille et qu'il fallait retrouver le fil. Et au fur et à mesure que l'échange se poursuit, nous nous rapprochons. Nos têtes se joignent. Nos identités s'emmêlent. Je lui dis ce que je suis, ce qu'il est pour moi, comment nous nous aimons. Souvent, je ne résiste pas. Je mets ma main sur sa cuisse et je remonte jusqu'à son sexe. Il adopte alors ce sourire en coin qui dit oui et non en même temps.

À Londres, nous traversons tous les lieux connus. Nous descendons Gower Street, passant à côté de University College, puis du British Museum. Nous longeons une petite rue pour nous rendre jusqu'à Covent Garden. Un quatuor à cordes nous accueille. Liam marche d'un pas résolu. Il ne reconnaît rien, mais en même temps il sait où tout se trouve. Nous ne nous perdons pas, pourtant les rues ne cessent de tourner, de changer de nom. Il me guide jusqu'à l'abbaye de Westminster, le pont, puis le parc Saint James, le monument à la reine Victoria, le palais de Buckingham, les jardins, puis l'entrée de Hyde

Park. Nous ne nous arrêtons nulle part, le temps est maussade. Je garde ma main dans la sienne. Nous revenons par Piccadilly, Regent puis Oxford Street. Nous redescendons par Charing Cross Road, pour rejoindre Leicester Square, où la foule est dense. Je suis fatiguée et me suis acheté des abricots, que je mange en deux bouchées. J'aime leur peau à la fois tendre et solide. Ils me réchauffent.

Nous avons commencé, en chemin, à faire les librairies. Il recherche quelques auteurs bien précis, dont les œuvres sont épuisées et rares. De vieux essais d'Olaf Guerard, l'édition britannique des poèmes de Taller Been, le journal intime de Peter W. Acre, mais surtout un roman de Charles E. Crevel, son dernier, qui date déjà de 16 ans. Les résultats de nos recherches sont décevants. Les vendeurs daignent à peine lever le nez de leurs livres. Les étagères sont riches en best-sellers et en livres d'histoire militaire, mais il y a peu de littérature. Pour le consoler, je glisse mes doigts le long de ses bras. Les veines résistent.

Dans un petit pub, son genou entre mes jambes, il m'explique son intérêt pour Crevel. L'écrivain a disparu peu de temps après son dernier roman. Il était passé maître dans les trompe-l'œil, les narrations qui se défaisaient comme de la gaze, des récits à la limite de l'obscénité. Il avait une écriture dense comme de l'huile. Liam aimait les lire, car il avait l'impression de se perdre dans ses propres pensées.

— Pour Crevel, le présent est le temps de l'oubli, de l'évanescence, d'une attention qui s'égare, dépourvue de tout gouvernail. C'est pour ça, dit-il dans une préface, que tous les romans sont au passé. Afin de se rappeler, afin d'exister au-delà de la présence, celle qui nous réunit, toi et moi, avant de nous séparer. Notre existence immédiate est instable. C'est le passé qui lui donne un sens. Les romans de Crevel, pourtant, restent à la limite de ce passé. Et ses personnages errent à travers des souvenirs qui leur échappent. Ils restent en partie submergés, sous la ligne de flottaison. L'eau revient sans cesse, dans ses écrits, parce qu'elle n'a pas de mémoire. On a beau crever sa surface, elle ne garde rien. Tout s'y enfonce, descend, disparaît en son fond. Et par temps clair, quand le vent s'est tu, elle devient un miroir qui prolonge l'éternité du ciel.

Les pages de Crevel sont labyrinthiques, m'explique-t-il. Ses trois premiers romans, *The Blood Slime*, *Laker's Maze*, *The Pier and the Porthole*, demandaient, pour être lus, une attention de tous les instants. On s'y sentait comme Thésée sur le point de perdre le fil, l'ayant déjà échappé dans le sable et cherchant à le retrouver dans la pénombre des dédales.

— Mais il faut avoir lu pour comprendre, cela ne s'explique pas. Personne n'a aimé *Burned Skin*, qui les a suivis, et on a même commencé à parler de son déclin. Mais le suivant fut son plus grand succès. Et c'est mon préféré. *Ice, Triangles and the Debutante*. Imagine les possibilités d'un tel titre, le mystère qui se cache dans les liens entre la glace et l'ingénue, entre ce couple et les triangles. Après, il y a eu *The Bottle Neck*, puis *The Toy Puddle*, et le dernier, *Body of Water. A Memoir*.

C'est ce titre que nous avons cherché tout l'après-midi, sans jamais le trouver. L'auteur était absent des étagères, comme s'il n'avait jamais existé. Liam est épuisé. Il a bu sa bière d'une traite et il en a commandé une seconde. Nous convenons de manger du poisson. Et le soir, quand nous retournons à l'hôtel, nos épaules lourdes, la peau de nos visages salie par la ville, mes pieds endoloris, je m'endors avant même qu'il ne me pénètre. Et je rêve à une mangue grosse comme un ventre. Je colle mon oreille et j'entends les battements d'un cœur. Je sors un couteau, mon Laguiole, et je pratique une fente le long de la ligne du noyau. Juste assez profonde pour séparer la peau. J'enfonce mon doigt dans la chair du fruit. Et je sens là-bas deux petites mains qui s'agrippent à ma peau, qui retiennent mon doigt, et une vive morsure.

Je me réveille, pour me trouver seule dans le lit. Liam est assis contre la fenêtre, il regarde le jour qui se lève. Je m'approche et passe ma main dans ses cheveux. Ses yeux sont vides. Sa peau est froide. Il est là, nu, depuis longtemps. Je le ramène au lit, je le prends dans mes bras et je lui redis qui je suis, ce qu'il est pour moi, où nous sommes. Il ne sourit qu'après, pendant que je m'essuie les mains sur le drap.

Nous repartons faire les dernières librairies repérées. Il y a une petite rue juste en face du British Museum, où quelques marchands de livres usagés ont ouvert boutique. Mon rêve commence à me hanter, mais je ne dis rien. Par contre, j'ai refusé l'orange que Liam me tendait. Nous ressortons bredouilles du Mariner's Bookshop.

Mais notre chance tourne enfin dans la boutique voisine, The Reader's Den. Toutes les boiseries sont peintes sang-de-bœuf. Un vieux tapis turc occupe le devant du magasin, des oiseaux de porcelaine sont distribués çà et là sur le mobilier. La préposée est endormie, la tête sur la table qui sert de comptoir. Il faut se casser le cou pour déchiffrer les titres les plus élevés. Les nouveaux achats sont étalés, dans le désordre, sur deux tables jumelles.

Nous ne trouvons rien. La préposée s'est réveillée. Elle est jolie, avec ses yeux verts et son menton effilé. On dirait une madone. Cela ne l'empêche pas d'être maussade et de nous ignorer. Elle refuse presque de répondre à nos questions.

— Vous cherchez un livre de Crevel. Un roman de 1980? Vous voulez dire René Crevel, l'auteur français? Je ne crois pas. Il est mort depuis longtemps. Mais vous pouvez toujours vérifier par vous-mêmes.

Quand Liam lui explique que c'est un autre Crevel, un Américain, un léger mépris se lit sur son visage. Elle ne connaît aucun C. E. Crevel.

Je m'aventure jusqu'au fond de la boutique et découvre un escalier qui mène au sous-sol. Des livres couvrent les murs de la descente. La préposée m'informe qu'en effet la boutique s'étend sur deux étages et qu'il y a des livres soldés en bas. Je descends et Liam aussi.

Le plafond est bas, l'air est humide, presque malsain, et des livres sont entassés contre tous les murs. Les catégories sont confondues. Des livres d'histoire, des livres pour enfants, des romans, des traités d'architecture, des livres d'art, sur la Renaissance, la peinture italienne, la perspective. Nous nous séparons, intrigués par le désordre. Côte à côte, je découvre des pièces de Shakespeare, un traité de parapsychologie et un essai sur la décolonisation africaine. Liam me crie tout haut ses propres découvertes, il savoure aussi les mélanges offerts par les lieux. Et puis, d'un coup, je l'entends se taire. Je m'approche. Il est accroupi et il a posé sa main sur des livres, tout en bas, contre le sol. Une petite pile.

Nous voyons, tous deux, six copies de *Body of Water. A Memoir*, de C. E. Crevel. Six. Pas une de moins. Et dans trois éditions différentes. Deux copies de l'original, une de la seconde, et les trois autres de l'édition de poche. Je suis émerveillée. Je plonge ma main dans son dos. Il est en sueur. La jeune fille n'a pas dit la vérité. Liam choisit la plus belle des deux copies de l'édition originale, celle où l'on voit, sur la page couverture, l'ombre d'une jeune fille, saisie en plein saut. Nous remontons.

La préposée ne paraît pas surprise de nous voir remonter avec une copie du roman. Elle a un sourire en coin. Elle subit la colère de Liam. Elle tient le livre à deux mains et le retourne nerveusement.

— Je vous ai dit de vérifier par vous-mêmes. Je ne suis pas obligée de tout savoir. Cette édition est la plus coûteuse des trois. Vous ne préférez pas la version de poche ?

Nous sortons, le livre dans un sac de papier. Liam a claqué la porte. Il rit sous cape. Il est heureux… Il a enfin son livre. Il m'invite à prendre un café et une pâtisserie. Il court me chercher quelques fruits à l'épicerie voisine. Je n'ose l'arrêter.

Assise à une table au plateau en verre, je sors le livre du sac. Il est tout neuf, à peine lu. Le dos est en parfait état. Je l'ouvre, le feuillette et lis la première phrase. Comme Liam revient, des bananes sous le bras, une tangerine, un sac de raisins verts, sans pépins, j'échappe le livre qui s'ouvre et laisse sortir une feuille pliée en deux. Elle devait être insérée entre deux pages, en plein milieu du roman, elle est tombée à ses pieds, ouverte comme une tente. Il s'assoit et la lit sans dire un mot. Le charme n'est pas rompu.

— Montre.

C'est une lettre. Elle est datée du 11 mai 1979. À peine quelques lignes écrites à la machine.

Dear Max,
I hope everything is fine. I'm sorry for the rest. Here is C.E. Crevel's new book which I thought you might be interested to read. I have not seen any reviews, but I can't think he could write a bad book. By the way, I do say yes. I won't pretend anymore. Neither should you.
Doris

La lettre est écrite sur du papier écru, de la compagnie Conquerer, et l'en-tête donne une adresse, le 12, place Langford, à Londres.

— Mais c'est extraordinaire, Liam! C'est beau. Dans le roman, il y a de la vie. De la vraie vie! Cette dame a dû envoyer ce livre à un ami, ou peut-être même à son amant, car tu as lu les deux dernières phrases, il se passait quelque chose entre eux. Elle répond à une question.

Mais il ne doit pas vouloir l'entendre, si on se fie à son évaluation. Qu'a-t-il bien pu se passer entre les deux? N'es-tu pas curieux?

La lune s'est levée. Le café s'est rempli. Liam ne m'écoute pas, il semble même à mille lieues de Londres. Il a détaché ses souliers. Je pose ma main sur sa cuisse gauche et la masse à travers le tissu. Je suis fascinée par cette lettre et je m'amuse aux plus complexes scénarios. Doris a décidé que leur liaison ne serait plus secrète et elle l'a annoncée à son mari. Elle l'enjoint de le dire, à son tour, à sa femme. Ou encore elle accepte de se donner à lui et lui demande de ne plus se soustraire à leur amour. Peut-être est-ce une question de famille: les parents qu'il faut convaincre du mariage, d'un déménagement, d'une rupture?

— Ce qui est le plus étonnant, c'est la présence de cette lettre dans le livre. Et même celle du livre dans la librairie. S'il aime à ce point Crevel, pourquoi s'être débarrassé du roman? Et après toutes ces années, car le livre n'a pas dû rester longtemps dans la pile. Il n'est pas empoussiéré. Rien. Ce doit être une nouvelle acquisition.

— Je rentre me coucher.

— À vrai dire, on ne sait pas qui l'a vendu, ce livre. Quel est son trajet. Est-il retourné à son expéditrice? Est-ce elle qui s'en est départie? Ça m'intrigue. Il y a là un moment charnière dans une existence, et on ne sait rien. Ni ce qui a pu le provoquer, ni comment il a été résolu.

À l'hôtel, nous faisons l'amour, à peine déshabillés. Je mets mes mains sur ses fesses et je les écarte. Je l'appelle Max et il adopte ce petit sourire qui me fait croire que je ne me trompe pas. Mais il résiste à m'appeler Doris. Il ne se prend pas au jeu. Je comprends que c'est le livre qui l'intéresse et rien de ce qui est autour. La lettre le laisse indifférent. Elle est comme un coupon de caisse. Il préfère écraser des raisins sur mon ventre et mes cuisses et les manger lentement. J'en frissonne, de la tête aux pieds. Il interprète cela comme une approche de la jouissance.

Mes rêves, la nuit, continuent leur travail de sape. Je marche sur des bananes écrasées qui sont brûlantes comme des charbons chauffés à blanc. Les pelures sont glissantes et l'odeur est atroce. Je titube, je m'efforce de ne pas tomber. Je crains de me brûler les seins, la peau du cou. J'entends des applaudissements, je vois la jeune fille de la librairie jeter sur le brasier des noix, qui sifflent et s'enflamment.

Au matin, je retrouve Liam à la même place, contre la fenêtre. Il est préoccupé. Nous prenons une douche rapide, sans même nous toucher. Nous déjeunons dans le parc et décidons des activités de la journée. Il veut aller à la National Gallery, voir quelques toiles célèbres. Je m'entends dire que je veux me rendre au 12, place Langford, voir si la dame est toujours là.

— Je veux rapporter la lettre à Doris, connaître la suite de l'histoire. Savoir ce qui a pu se produire, il y a seize ans. Je veux rejoindre ce passé dont nous n'avons aperçu que la plus petite des traces.

Il trouve la démarche futile, mais accepte quand même de m'accompagner. Pour que nous restions ensemble. Il est perdu sans moi. Je l'embrasse, nous courons dans le parc. Il sort de sa poche une pomme, la croque et m'embrasse avec le morceau entre ses dents. Je panique. Il me le passe. Je feins de m'étouffer. Je crache. Liam me regarde étonné.

Nous prenons le Tube. La place Langford est sur la ligne Circle. Il nous faut changer à King's Cross. Nous descendons à Paddington. Comme toujours, Liam s'oriente sans jamais hésiter. Nous longeons quelques petites rues aux maisons serrées les unes contre les autres, de la brique rouge, des persiennes décorées, des fleurs aux fenêtres, de nombreux chats sur les perrons. Nous atteignons une belle maison, large et prospère. La porte est protégée par une grille. La peinture en est légèrement écaillée et le métal rouillé. Je sonne sans attendre. Je crains de reculer. Je me retourne vers Liam.

— À partir d'ici, tu me laisses parler. Mon anglais suffira.

Il ne dit rien, mais regarde avec attention le pommier qui pousse près de la maison. J'ai le livre en main, la lettre y est insérée. Une dame d'un certain âge s'avance et ouvre la porte. Nous parlons à travers la grille.

— Nous aimerions voir madame Doris.

— Madame Doris ?

— Nous avons quelque chose qui lui appartient. Et nous voulons le lui rendre. Nous ne vendons rien, je vous assure.

— Il n'y a pas de madame Doris, ici.

— J'aurais cru pourtant. Il est vrai que seize ans…

— Oh! Mais attendez, vous voulez dire madame Venasque, Dorothée Venasque ! Il y a longtemps qu'on ne l'appelle plus Doris.

La servante disparaît derrière la porte. L'attente est longue.

— Entrez. Madame Venasque va vous recevoir.

Nous pénétrons dans un petit salon qui donne sur la cour arrière et un jardin anglais. Sur une table, des orchidées turquoise et or sont épanouies. Je m'assois sur le canapé, Liam me suit. Il est devenu étrangement rouge et absorbé. Mais je n'ai pas le temps de lui demander ce qui se passe que madame Venasque surgit, une robe bourgogne légèrement ouverte à l'arrière, des souliers à talons hauts, des bas noirs. Sa beauté me surprend. Elle s'assoit, très droite, dans le fauteuil près de la fenêtre. Elle dévisage Liam qui la regarde du coin de l'œil. Elle est perplexe.

— Que puis-je faire pour vous ?

— Voilà, madame. C'est peut-être un mauvais prétexte, mais, en achetant un livre, nous avons trouvé une lettre qui vous appartient. Que vous aviez écrite, du moins, il y a très longtemps.

— Une lettre ?

— Oui. Nous l'avons trouvée par hasard. Et j'ai été tellement étonnée de son contenu que j'ai voulu vous la rapporter. En fait, j'ai voulu savoir ce qui avait bien pu se passer.

— Mais quelle lettre ?

Elle regarde encore Liam avec attention, comme si elle cherchait à le reconnaître, à retrouver dans son visage les traces d'une histoire oubliée. Je lui tends le papier.

— Une lettre adressée à un certain Max. Un ami, j'imagine.

Il n'y a plus rien à faire. Ses yeux quittent la lettre pour revenir à Liam. Le cri qui sort de sa poitrine déchire les pétales des orchidées. Elle s'élance, le gifle d'une claque qui retentit jusque dans mon cœur et, quand elle s'apprête à recommencer, je m'interpose. Elle ne se retient plus.

— Effronté! Tu oses revenir. Après toutes ces années. Ici! Sors. Hors de ma vue. Sous quel prétexte as-tu réussi à revenir? Me prendre pour une sotte!

Ses cris emplissent la maison. Elle tente encore de lui donner des coups. Il est hébété. Je le prends par le bras et l'entraîne vers la sortie. On ouvre la porte, je me sens projetée, je roule sur lui. Les cris continuent. Elle nous suit sur le trottoir et lui jette ses pots de fleurs.

Dans le *Tube*, un homme mange un kiwi à la cuiller. J'en ai mal au cœur. Liam est livide. Il ne parle pas. Ses jambes tremblent. Il refuse que je mette mes mains sur ses cuisses. J'ai conservé, malgré tout, le livre. Je le lui rends. Il le laisse tomber sur le plancher.

Je me mets nue dans le lit, à l'hôtel, et j'attends qu'il vienne me rejoindre. Il reste à la fenêtre. Froid. Je veux qu'il m'explique, mais il n'a rien à dire. Il ne sait pas. Il a oublié.

— Tu dois la connaître. Elle, elle t'a reconnu. À moins qu'il n'y ait méprise. On ne frappe pas un étranger. Pourquoi n'as-tu rien dit? Pourquoi ne t'es-tu pas défendu?

Il regarde le parc, en bas. Je sens qu'il ne dira rien, qu'il ne viendra pas près de moi. Je me lève.

— J'y retourne.

— Non.

— Ah ! Tu réagis enfin. Explique-moi.

— Non. Il n'y a rien à dire. Ma mémoire ne se rend pas jusque-là. J'ai tout oublié. Crois-moi. Son visage ne m'est pas inconnu, c'est vrai. Mais je ne saurais raconter ce qui s'est passé.

— Tu n'as rien à me cacher. Je ne suis pas jalouse.

— Ce n'est pas ça.

— Quel lien y a-t-il avec le livre, et la lettre ?

— Je ne sais pas.

— Tu la connaissais, cette lettre ?

J'ai l'impression de buter contre un mur. Ma première idée était la bonne. Je retourne place Langford. Il me regarde m'habiller et partir, sans bouger. Il ne tente même pas de m'arrêter. Quelque chose a crevé.

J'ai faim et je ne sais plus quoi manger. Je fais un détour, à l'épicerie, pour éviter la section des fruits. Je choisis du chocolat, du lait. Je prends aussi un *scone*, dont j'élimine tous les raisins. Je m'engouffre dans le *Tube* et j'essaie de ne penser à rien. Peine perdue.

Madame Venasque ne veut pas me recevoir. Je lui fais savoir que je suis seule, que j'ai le livre avec moi et que je veux simplement comprendre ce qui s'est passé. J'attends à la porte et la servante nous sert de truchement. Elle me fait traiter d'hypocrite, de jeune délurée, d'aventurière. Du délire. Je lui fais répéter le même message.

Je passe ainsi quelques heures sur le pas de sa porte, mes mains entre mes jambes, le dos contre la brique. Je lui écris un mot, où je résume ma relation avec Liam, la date de notre rencontre, le motif de notre voyage à

Londres, notre vie de couple récemment formé, la recherche du livre et sa découverte dans la librairie. Et puis mon désir de venir la trouver.

L'après-midi s'étire et je suis transie. Le soleil baisse et je doute maintenant qu'elle m'accueille. Je me prépare à partir quand j'entends la grille s'ouvrir. Madame Venasque me fait signe d'entrer. Je sens aux gestes de ses mains qu'elle est encore plus fébrile que moi.

— Vous n'êtes qu'une sotte, naïve et sentimentale. Mais vous êtes tenace.

— Merci.

— Je l'ai été moi aussi, il y a longtemps, naïve et sentimentale.

Je me rassois sur le canapé, madame Venasque tient mon message en main.

— Vous vous appelez vraiment Mélanie ?

— Oui. Mélanie P. Mazon. Je peux vous montrer mon passeport, si vous y tenez. Mais pourquoi ?

— C'est aussi le nom de ma fille.

— Ce n'est pas un nom rare.

— Oh ! Ce n'est pas ça. Vous ne savez vraiment pas avec qui vous voyagez ?

— Je crois pourtant que si.

— Non. Connaissez-vous son passé ?

— Assez.

— Assez pour savoir qu'il est le père de ma fille ?

La servante m'apporte un verre d'eau. J'ai de la difficulté à respirer. Je sens mon pouls battre dans mon cou, là où il aime bien me mordre. Je ne parviens pas à poser de question. J'ai l'air idiote.

— Votre Liam, ma chère enfant, c'est mon Maxime. Le Max de la lettre. Celui à qui j'ai écrit cette petite note, en lui donnant le dernier livre de Crevel, qu'il aimait bien, je sais. Comprenez-vous maintenant ma surprise? Mon désarroi de l'avoir ici, seize ans plus tard, après qu'il m'a abandonnée, sans aucune explication, comme s'il avait oublié tout simplement que j'existais, que notre fille Mélanie aussi. Seize ans sans nouvelles. À croire qu'il était mort. Et il réapparaît avec vous, ma lettre à la main. Comme s'il ne savait pas où il était, qui j'étais, ce qu'il faisait. Non, mademoiselle. Je ne vous crois pas, ou à peine. Les chemins ont beau bifurquer dans toutes les directions, ils ne ramènent pas par hasard au point de départ.

— Comment, moi, vous croire? Tout ceci pourrait n'être qu'un malentendu. Il n'est pas le seul à aimer Crevel.

Pour toute réponse, elle me tend une photographie en couleurs. Un couple pose devant la National Gallery. Le ciel est nuageux, ils portent leur manteau d'hiver, mais je reconnais Liam et Doris. C'est bien lui.

— Nous nous étions rencontrés lors d'un concert à Saint Martin-in-the-Fields. Les fugues de Bach, je crois. Notre relation était torride. Nous nous voyions sporadiquement, dans sa chambre d'hôtel, près de Russel Square. Une chambre avec un grand miroir sur la commode. Je me souviens. Je ne prenais pas toujours des précautions. Il me disait vouloir passer sa vie avec moi. Je le croyais. C'est un homme étrange, vous le savez. Il a de ces absences qui font douter de son équilibre. Un moment, il est là, d'une rare intensité, et après il disparaît, son esprit vagabonde, complètement détaché.

Elle était tombée enceinte. Mais elle n'avait pas osé le lui dire. Elle avait eu des nausées en sa présence et il lui avait demandé si elle portait son enfant. Elle avait fui, pour ne pas répondre. Elle ne savait pas si elle voulait le garder et préférait prendre sa décision seule. Elle s'était retirée durant quatre jours. Leur première séparation. Elle n'aurait jamais dû. Car, quand elle lui a écrit, pour lui annoncer la nouvelle, quand elle s'est enfin décidée à répondre oui à sa question, il était déjà parti. Elle avait glissé la lettre dans le livre de Crevel qui venait de sortir, afin d'attirer son attention, et avait posté le tout à son hôtel. Mais le livre était revenu, par retour de courrier. Il avait libéré sa chambre sans laisser d'adresse. Et elle n'en avait plus jamais entendu parler. Sa fille avait été élevée sans rien connaître de son père.

— Vous ne comprenez pas. Je suis convaincue qu'il a lu la lettre, qu'il savait que je portais son enfant. Il a préféré s'enfuir. Quand j'ai reçu le paquet, qui semblait ne pas avoir été ouvert, j'ai tout de suite compris mon erreur, qui avait été de le laisser seul, quelques instants, le temps de décider par moi-même ma destinée. J'étais bouleversée, anéantie par mon erreur. J'ai laissé, de longs mois, le paquet scellé sur ma table de chevet, pendant que la nausée envahissait mon corps et m'alitait pour des journées entières. Et puis un jour, je l'ai ouvert, pour me rappeler exactement ce que j'avais écrit. Je me souvenais d'avoir placé la lettre immédiatement après le copyright. Il vérifiait toujours ces choses ; elles faisaient partie de son plaisir de lecture. La lettre n'y était plus. Elle avait été déplacée vers la fin du livre. Ma note avait été lue…

Je ne sais quoi penser. Je voudrais me lever, marcher longtemps, prendre beaucoup d'air. Je suis affamée. La servante a disparu, je n'ose rien demander. J'ai la vision d'une poire disproportionnée, un fruit dont le bassin est devenu géant, plein d'une vie qui alourdit ses hanches. Je mets ma main devant ma bouche.

— Mais je dois savoir. D'où tenez-vous ce livre ? Est-ce vrai ce que vous avez dit ? Vous l'avez trouvé dans une librairie ? Ce livre, je l'ai donné à ma fille, voyez-vous, avec la lettre. Je lui ai donné le nom de l'héroïne du roman. Mélanie. Tout ce qu'elle connaît de son père est ce livre et une carte postale de la National Gallery, que nous avions achetée ensemble, à l'occasion de la photo. Une reproduction des *Ambassadeurs* de Holbein. Ce n'était pas sa toile favorite, non ; il y en avait une autre, d'un Italien, une perspective étrange avec une pomme et un concombre en avant-plan. Celle-là, il l'aimait vraiment beaucoup. Mais il avait acheté la reproduction du Holbein et, au dos, il m'avait écrit quelques mots.

Le livre l'intéressait car sa fille avait fait une fugue, le lendemain de ses seize ans. Et elle n'en avait plus aucune nouvelle depuis. Le livre était son seul souvenir paternel, sa présence dans une librairie d'occasion devait signifier qu'elle était en danger. Il fallait la retrouver, l'aider. Lui dire au moins que son père était de retour et qu'elle pouvait enfin le connaître.

— Aidez-moi. Je ne veux plus rien savoir de Maxime, il est à vous, gardez-le ; mais ma fille, je ne sais comment la retrouver. Vous pourriez faire d'une pierre deux coups. J'ai accepté de vous recevoir pour cette raison.

Les portes du *Tube* se ferment dans un grincement terrible. Je ne parviens pas à m'asseoir. J'ai en main un chèque de 300 livres qu'elle m'a remis, espérant ainsi acheter ma fidélité. Je l'ai chiffonné, presque déchiré, mais me suis résignée à le conserver. Je le donnerai à Mélanie, si je la trouve. Je voudrais fuir, reprendre l'Eurostar jusqu'à Paris, applaudir de mes deux mains à l'arrivée du train, mais je retourne docilement à l'hôtel. Je ne sais quoi lui dire. Je ne l'aime pas moins.

Je dois faire de la lumière en entrant. Il n'est pas là. Je prends un bain, pour me calmer. Je prépare mes premières questions. Je m'enduis le corps de crème. Je m'endors et me réveille en plein milieu de la nuit. Son absence me brûle les lèvres, comme un fruit trop acide. Je réalise d'un coup qu'il est parti. Pourtant, sauf pour sa petite mallette de cuir, dans laquelle il met son passeport et son porte-monnaie, rien ne manque.

Pendant deux jours, je ne sors pas de l'hôtel, de crainte qu'il n'arrive. Je me fais monter des plats délavés de la cuisine. J'ai interdit qu'on mette des nectarines sur le plateau. Je regarde distraitement la télévision. J'essaie de lire le roman de Crevel, mais ma tête n'y est pas. C'est l'histoire d'un homme que sa femme vient de quitter et qui s'embarque pour une croisière pendant laquelle il trouvera une femme prête à tout pour le séduire. Son meilleur ami meurt d'une embolie cérébrale. Le narration est fragmentée. J'en lis des petits bouts à la fois, distraite par les bruits de pas dans le couloir, les chuchotements des voisins. Il ne revient pas.

Je sors. Je ratisse la ville. Je refais le chemin parcouru ensemble. J'erre longtemps dans Hyde Park. Je retourne à Covent Garden, à Soho, à Trafalgar Square. Je me mêle aux touristes qui rient sans rien connaître de mon vertige. Je ne me souviens plus de ma vie avant de l'avoir connu.

Je rêve, la nuit, de fruits de plus en plus menaçants, des papayes effilées comme des couteaux, des raisins qui se logent dans mon utérus comme des fœtus, des cantaloups en forme de visages ratatinés, une grenade d'où s'écoule un liquide verdâtre. Je me réveille en sueur.

Je retourne dans la petite rue où nous avons trouvé le livre. J'entre au Reader's Den. C'est la seule piste que j'ai. La préposée pourrait me renseigner sur le livre de Crevel. À l'intérieur, rien n'a changé. Les même livres trônent sur les tables jumelles. La jeune fille, cependant, n'y est pas. Un homme dans la cinquantaine, ventru, une moustache rasée de près sur la lèvre supérieure, l'a remplacée à la table centrale. C'est le propriétaire, il ne dort pas.

— Je cherche la jeune fille qui était ici, la semaine passée.

— Qui ?

— J'aurais quelques questions à lui poser.

— Et pourquoi ?

— Savez-vous où je peux la trouver ?

Il persiste à ne pas répondre. Je lui montre le Crevel, la lettre insérée. Je lui parle de mon amant disparu, de ma démarche auprès de Doris. Il rit.

— Je cherche simplement à retrouver la personne qui vous a vendu ce livre. Sa mère la cherche. Elle est folle d'inquiétude. Et, du même coup, elle pourrait retrouver son père. Elle ne l'a jamais rencontré. Un vrai conte de fées. Je pensais que la jeune fille saurait d'où venait le livre.

Il se radoucit, prend le livre dans ses mains et me regarde de la tête aux pieds. Je dois lui faire de l'effet. Mes mains pourtant sont sèches, comme des dattes.

— Vous étiez plus proche que vous ne le croyiez. Ce livre était le sien.

— Je ne comprends pas.

— Ce livre, quand elle a commencé à travailler ici, il y a à peine trois mois, elle l'avait apporté avec elle. Et pas seulement celui-là, les cinq autres aussi. Elle les collectionnait. Et pas tous les Crevel, uniquement celui-là.

— C'était Mélanie ?

— Oui.

— Elle travaillait ici ?

— Puisque je vous le dis.

— Et où est-elle ?

— Eh bien, justement, elle a disparu. Elle n'est plus revenue, depuis jeudi.

— Depuis notre passage…

— Il semble bien. Et maintenant, je ne pense pas qu'elle revienne.

— Pourquoi ?

— Elle est partie avec les cinq autres copies du Crevel. J'ai vérifié quand une dame est venue me poser à peu près les mêmes questions. Elle voulait les acheter, mais la pile n'était plus là. Mélanie ne reviendra plus.

Le British Museum a des fauteuils moelleux et les jours de semaine certaines salles sont presque vides. J'enlève mes souliers, pour me masser les pieds, mais les crampes ne veulent pas disparaître. Je n'ai nulle part où aller. Il n'est pas à l'hôtel, elle n'est plus à la librairie. Je n'ai rien mangé depuis mon dernier rêve.

Je ressemble de plus en plus à un spectre. Je retourne voir Doris. Personne ne répond à son domicile. J'attends jusqu'à la nuit, mais aucune lumière ne s'allume. Elle ne veut vraiment pas me recevoir. Elle sait que je n'ai aucune nouvelle à lui communiquer. Je me mets à souhaiter que ses orchidées se fanent précipitamment.

Je marche vers le *Tube* et traverse un petit parc. Étourdie, je m'assois sur un banc. Je pleure des larmes qui partent de mes ailes. Je ne remarque pas l'ombre qui s'allonge jusqu'à mes pieds. Je sursaute, certaine de mourir bientôt.

— Que lui vouliez-vous ?

Je comprends de moins en moins quand on me parle.

— À ma mère.

Mélanie. Je ne parviens même pas à répondre. Je sanglote encore plus fort. Un hoquet meurtrit mon corps. Je me recroqueville. Elle s'approche, s'assoit à mes côtés et me prend par les épaules. Elle a ce sourire qui me dit qu'elle est bien sa fille. Je fonds dans ses bras. Si je parvenais à cesser de pleurer, je lui dirais qu'elle lui ressemble. Mais je reste muette. Plus tard, je m'endors la tête sur ses jambes.

L'odeur d'une pomme pelée me réveille.

— Tenez, mangez un peu.

Je n'ai pas le temps de réagir que déjà elle a fait glisser le quartier de pomme entre mes lèvres. Je le reçois sur ma langue, prête à cracher et à me tenir la gorge, mais il ne se passe rien. Au contraire, le jus sucré, légèrement poiré, de la pomme inonde mon palais, mon nez, mes yeux qui à nouveau se mouillent.

— Encore. J'aime les fruits.

La tête couchée sur ses cuisses, je ne me retiens plus. Je dis tout. Je sens ses muscles se raidir à chaque nouvelle étape de mon récit. Ses mains courent dans mes cheveux, traînent dans mon cou, s'arrêtent sur mes clavicules. Je lui redonne son livre. Elle le jette sur le gravier.

À l'hôtel, elle dort jusqu'à trois heures de l'après-midi. Au réveil, elle ne me croit plus. Je n'ai rien à lui dire. Comme l'a fait sa mère, je sors une photo, où Liam est étendu sur une plage, les cheveux au vent, encore mouillés, une main sur la poitrine. Il regarde l'objectif d'un air serein. Le silence dure jusqu'au lendemain matin.

Assises près de la fenêtre, nous convenons de continuer ensemble la recherche. J'ai les 300 livres de Doris. Nous pourrons prendre des taxis, visiter tous les lieux. Mais je résiste à me dépenser en errance. J'ai déjà parcouru tout le centre de la ville et n'ai pas vu la moindre trace. Autant s'arrêter sur un banc et regarder les gens passer. Mélanie a une meilleure idée. Elle veut commencer par la National Gallery.

— Je n'y suis jamais allée, je n'ai jamais vu les toiles qu'il aimait. Pendant mon enfance, ce lieu m'effrayait comme si j'allais trouver là l'origine de mes maux, de l'abandon. Maintenant, je ne vois pas meilleur point de départ.

Elle a sur elle la carte postale des *Ambassadeurs* de Holbein, celle qui avait été offerte à Doris, avec ses coins décollés, des taches au verso, et ce mot encore lisible : « Il faut savoir se retourner pour comprendre le passé. » Mélanie ne s'en départit jamais, elle la porte comme un talisman.

Nous montons le grand escalier de la National Gallery. Les colonnes sont imposantes à l'entrée de Trafalgar Square. Mélanie est nerveuse, elle me serre la main. Je suce un noyau de pêche qui m'écorche le palais ; ça me tient éveillée. Les expositions temporaires ne nous intéressent pas. Des gens s'attroupent, font la queue, parlent des langues emmêlées. L'heure de pointe dure toute la journée.

Nous cherchons *Les ambassadeurs* et passons de pièce en pièce, sans nous arrêter, regardant à peine les toiles qui ne sont pas la nôtre. En fait, je ne vois rien, j'élimine. Je cherche un cadre plus haut que large, où l'on repère rapidement les deux hommes et l'étrange tache en bas. Je ne connais pas les noms, les périodes, les influences. Je ne peux dire si ce que je remarque est de l'art ou d'inutiles vieilles croûtes. Il y a de la peinture flamande, italienne, française, anglaise, des Rubens, des Goya, des Turner. Des dieux grecs, des chevaliers en armure, des rois sur leur trône. Ils se ressemblent tous à la longue. À la vitesse où nous allons, les murs se fondent dans un kaléidoscope aux couleurs délavées, pleines d'ombres et de vernis. Mais pas le moindre Holbein à l'horizon.

Nous passons deux heures à traverser des pièces aux murs remplis de toiles. Nous nous égarons, revenons sur nos pas sans le savoir, reconnaissant vaguement des tableaux, des périodes. Mélanie supporte mieux que moi notre quête.

Nous rejoignons la sortie, dans la vieille aile, et trouvons un plan du musée, afin de tout refaire méthodiquement. Au sortir de chaque salle, nous cochons l'indication sur le plan. Nous ne pourrons plus nous perdre.

Au bout de trois heures, les résultats ne sont pas différents. Il n'y a pas de tableau de Holbein dans le musée. *Les ambassadeurs* ne sont accrochés nulle part. Même le café que nous prenons au bistro du musée goûte l'échec et le melon trop mûr. J'interpelle un gardien.

— *Les ambassadeurs* ? Vous ne vous êtes pas trompée. Mais le tableau ne sera pas exposé avant janvier prochain. Il est en restauration. Depuis deux ans. La toile s'était craquelée. L'anamorphose n'était plus visible. Les visiteurs, à force de la regarder, de la toucher même du bout des doigts, avaient transformé la tête de mort en vulgaire tache. Il n'y avait plus d'anamorphose. C'est ce qui arrive quand une toile devient trop populaire. Elle perd de son lustre, de sa valeur. Elle devient un lieu commun. Ne partez pas. Le musée est grand, vous trouverez sûrement une autre toile qui répondra à vos attentes.

Mélanie a cet air défait qu'elle tient de son père, un regard sans attache, un vide qui est plus que simple absence mais blessure. Elle paraît détenir un secret qui lui mouille les lèvres. Elle tient le C. E. Crevel dans ses mains, ses deux pouces cachant en partie le nom de l'auteur, comme un rêve sans accent.

— Doris parlait d'une autre toile. D'un Italien. Une nature morte, je crois, avec une pomme et un concombre. Un oiseau aussi, un paon. C'était son œuvre favorite. Je voudrais la voir.

Le gardien ne reconnaît aucune toile. Il y a bien quelques Leonard de Vinci, des Raphaël, des Crivelli et des Botticelli, mais des natures mortes à la pomme, il n'en voit aucune. Si c'était un homard, il ne dit pas, la nature morte de Willem Kalf en a un beau, en plein centre, et Steenwyck a peint une allégorie plutôt convaincante. Mais un concombre…

Nous recommençons le même manège, cochant à nouveau, dans le désordre, les quarante-six cases de notre plan. Nous traversons des salles pleines de touristes, des écouteurs aux oreilles. Je me croirais en pleine mer, me débattant de tous mes membres pour ne pas couler, les yeux brûlés par le sel, de l'eau jusqu'au fond de la gorge, ma peau de plus en plus pâle, mes veines flottant à la surface de mon corps, détachées comme une pelure. Mélanie me précède. Je m'accroche à son manteau pour ne pas me perdre. Je ne comprends plus rien. Elle s'arrête d'un coup. Je m'enfonce.

— Là !

Je ne vois rien.

— Là, là !, dit-elle avec plus d'urgence dans la voix, comme sur la photo…

Sur le banc, Liam.

— Attends.

Il n'est pas seul. Il parle à une femme. Il se tient collé contre elle. Je me mords la joue intérieure. Mon dernier fruit mangé me revient en bouche, chaud comme de l'urine. Je dois me pincer le nez.

— Viens, je veux savoir ce qu'il dit.

Mélanie me prend par le bras et m'entraîne. Je ne veux pas. Son regard est humiliant. Nous marchons lentement, longeant les murs jusqu'à rejoindre le petit banc où mon amant s'entretient avec une jeune fille, au regard amusé. Nous nous arrêtons derrière eux. Trop loin pour être aperçues, mais assez proches pour entendre l'écho de ses paroles.

Sur le mur, une toile étrange est exposée. Il y a bien une pomme et un concombre, mais ils n'occupent que le centième de l'espace, tout en bas, dans un trompe-l'œil étonnant, comme si le légume était sur le point de sortir du cadre et de tomber sur le marbre froid du musée.

— Je peux vous appeler Mélanie ? Laissez-moi vous appeler Mélanie.

Liam se met à lui décrire le tableau, une œuvre du peintre italien Carlo Crivelli, actif de 1457 à 1493. C'est une *Annonciation*, peinte avec saint Emidius. Marie est agenouillée dans une pièce étroite, à droite, en avant. On est au cœur de la cité, la seule végétation se trouve à l'arrière-plan ou dans des pots. Tout en haut, au-dessus de la Vierge, on voit un paon, dont la queue descend, en trompe-l'œil elle aussi, jusqu'au haut de l'entrée. Il est entre deux plantes, tout près d'un autre oiseau, une colombe peut-être, et d'une cage où un troisième oiseau est enfermé.

— Regardez la Vierge Marie, qui lit la Bible, agenouillée sur un prie-Dieu, les bras croisés sur le devant, les mains ouvertes. Elle a de longs doigts, comme les vôtres. Son visage est blanc, son auréole est dorée. Son expression est paisible. Elle a oublié le passé et ne connaît pas encore l'avenir. C'est le présent qui la retient. Remarquez le trait de lumière qui part du ciel, tout en haut, en arrière-plan, et qui traverse la toile pour pénétrer par la fenêtre en forme de demi-lune, disparaître de notre vue et réapparaître, en avant, à la hauteur de l'étagère, où se trouvent assiettes, bougies et livres, pour terminer sa route sur la tête de Marie. Elle reçoit la bonne nouvelle. Le trait de lumière est porteur de la semence de Dieu. C'est le plus bel acte de parole. Elle enfantera Jésus-Christ.

Il lui montre l'ange Gabriel, une fleur à la main, s'entretenant avec saint Emidius qui porte la maquette de la ville dont il est le patron. La toile est d'une grande complexité. La régularité de ses lignes, l'accumulation des détails en arrière-plan, l'enfant qui regarde, le magistrat qui lit un billet, le savant qui examine, circonspect, le rai de lumière, les tapis sortis pour être aérés, l'ocre qui règne sur l'ensemble. Tout est bouleversant.

— Crivelli était un artiste d'une grande dextérité, qui réussit à joindre la régularité du gothique à un style renaissant. Il a été pour moi la première des sources. Non pas sur le plan des thèmes, mais de la forme. J'ai essayé de reprendre son sens du faux-semblant, des structures simples en apparence, mais reposant sur des architectures complexes. Et j'ai été comme Marie, ignorant de ce qui se tramait en haut lieu, dans ma tête. Je n'ai jamais compris d'où me venait mon inspiration, je ne sais toujours pas où elle est passée. Je suis orphelin, voyez-vous. J'ai perdu mon souffle, ma mémoire.

Je m'égare dans les détails de la toile. Je compte les fruits, les oiseaux, les briques des murs. Liam est là, à quelques pas de moi, absorbé par sa description de la toile. Il ne me regarde même pas. Pourtant, je me suis approchée jusqu'à ce que mes genoux touchent son dos. Il s'est retourné, je me suis excusée, il s'est déplacé sans s'interrompre. Je n'existe plus. Une autre Mélanie m'a remplacée, une autre que sa fille qui regarde la scène, les lèvres pincées, les paupières lourdes. Elle ne l'a jamais connu. Le passé est inaltérable.

— Crivelli affectionnait les petits détails d'apparence inutile, les jeux de perspective, les mises en abyme. On fait du roman avec les mêmes outils. J'ai choisi ma carrière quand, pour la première fois, je me suis assis devant cette toile. Je ne sais pas peindre, mais je savais écrire. Maintenant, j'ai tout oublié. J'ai craqué, il y a quelques années. Je ne saurais vous dire comment ni pourquoi. Depuis, j'erre. Mais je vous ai rencontrée. Et déjà je me sens revivre. J'étais somnolent sur ce banc et vous m'avez réveillé. Vous êtes cette pomme, là, à la limite du tableau.

Mélanie durcit ses jambes et me serre si fort la main avec ses ongles que ma peau s'ouvre et des gouttes de sang tombent sur le sol. Et déjà je me sens mourir.

— Oui, j'écrivais des romans. Des petites choses qui me faisaient vivre. Mais le rai a été coupé. Il ne me reste plus qu'un petit trou sur le dessus de la tête. Je ne me souviens même plus de mon nom de plume. Pourtant, il est là, dans le cadre.

Mélanie me tire vers elle, violemment. Elle colle ses lèvres contre mon oreille, prenant une toute petite respiration, ses ongles toujours enfoncés dans mes paumes, sa langue épaisse comme du sang, une étrange chaleur émanant de son cou, et elle me transmet un nom qui me renverse, un secret que je n'aurais jamais trouvé par moi-même, un nom qui a bloqué momentanément mon pharynx, mon sternum, mon cœur, ma vie, un nom trop souvent répété pour que je puisse jamais l'oublier: Charles Emidius Crevel.

Nous sommes parties toutes deux d'un pas disloqué, sans jamais nous retourner. Il est des passés qu'il vaut mieux ne plus habiter, sauf en songe, la nuit, un fruit profondément enfoncé dans le corps, de l'eau partout.

Le cierge et le métronome

On m'a nommé Marion et je sens un vide au fond de moi. Ce n'est pas que j'aie faim, ou quelque chose du genre. On m'a déjà beaucoup nourri et, même encore, j'ai conservé l'habitude de surveiller mon alimentation de près. J'ai été heureux une seule fois dans ma vie et je vis maintenant sur mes réserves, comme un arbre de Josué. Tout est de ma faute. Le cierge s'est affaissé et j'ai préféré me retirer.

J'ai toujours trouvé une grande satisfaction à surveiller mon poids, la teneur en protéines de mes aliments, les pourcentages, l'équivalent en kilojoules des calories absorbées. Avant, je notais tout dans un petit carnet. J'inscrivais les onces de céréales, la quantité de lait, le pain et la margarine, le miel, les grains de riz le midi, tout, jusqu'à la fin de l'après-midi. Et je vérifiais les ratios, les correspondances. J'additionnais et, au souper, je soustrayais du total permis ce qui avait déjà été absorbé et préparais mon assiette en conséquence. Mes préférences allaient aux produits congelés, aux boîtes de conserve et aux suppléments vitaminiques, parce que leur valeur nutritive est inscrite sur le paquet et qu'il est aisé de préparer des portions exactes. J'avais une balance très précise qui mesurait jusqu'aux centigrammes et je pesais, coupais, avalais ma nourriture. Dixneuf grammes d'Ovaltine donnent 75 calories, ce qui correspond à 316 kilojoules, 1,5 gramme de protéines, 15,9 grammes de glucides et ainsi de suite.

J'étais un adepte des magasins de produits naturels, des pharmacies et de leurs barres nutritives. Je ne les prenais pas pour perdre du poids, mais pour contrôler de façon économique ma consommation de calories. Il est plus facile de couper au couteau une barre d'avoine enrobée de chocolat que de séparer en deux une fricassée. Je connaissais les subtilités des régimes naturels, végétariens et macrobiotiques. Longtemps, je me suis tenu loin des aliments frais, ceux qu'on achète sans y penser. Ils sont beaucoup plus difficiles à manier. Il faut improviser les quantités, jongler avec les chiffres. Avec les années, j'ai appris à en manger, mais en petites doses. Et puis, quand j'ai commencé à travailler, mes préparations attiraient un peu trop l'attention. Je me suis trouvé une nouvelle diète plus conventionnelle. J'aimais tellement mes cactus que j'avais choisi d'intégrer à mon menu des aliments frais. Et j'en ai pris l'habitude, de sorte que maintenant, même si je n'ai plus la responsabilité de mes repas, je ne refuse plus rien.

Je me soigne bien. Je ne souffre pas d'anorexie. Ce que j'absorbe me maintient en vie. Il y a une certaine sécurité à savoir exactement ce qu'on ingurgite. C'est la seule que je connaisse. Depuis que je suis de retour à l'hôpital, de toute façon, je ne suis plus seul à me soigner et à calculer ma diète. Les infirmières m'aident beaucoup. Elles ont compris que ce n'était pas un caprice de ma part, mais une composante essentielle de mon mode de vie. Elles s'inquiètent du fait que je ne pèse que 104 livres, ce qui est peu pour ma taille ; mais je les ai convaincues que c'était mon seul poids possible et elles se plient à mes exigences.

On m'a nommé Marion, comme si c'était un nom de garçon. Marion, pour ma mère, Marie, que je n'ai pas connue. Elle est morte et mon père ne s'en est jamais remis. Enfin, tout cela est flou. Il ne m'a jamais beaucoup parlé et, très tôt, il n'a plus voulu que je reste à la maison. J'ai dû partir avant même de savoir ce que j'allais devenir. Il y avait quelque chose dans mon regard, disait mon père, qui l'effrayait. Quelque chose d'inquiétant. Comme une balle au fond des yeux. Je ne sais pas, je préfère ne pas regarder. J'évite les miroirs. Mon père voulait avoir une fille, une seconde Marie qui aurait pu à la longue se substituer à la première. Mais c'est moi qui suis sorti par la fente qu'on avait pratiquée. Je n'ai pris la place de personne. Au contraire, j'ai même perdu la mienne. Je suis allé loger chez mes grands-parents. Et, maintenant, je suis de retour à l'hôpital.

Je n'ai pas pleuré, quand je suis né. Je n'ai jamais pleuré et je ne crois pas que ça m'arrive un jour. Je me tiens au sec. Je n'en veux à personne. Mes grands-parents se sont occupés de mon éducation. Marielle, ma grand-mère qui m'aimait bien, n'arrêtait pas de me dire combien j'étais chanceux d'être en vie. Un miracle de la science. Son mari, qui était un peu trop comme mon père, était d'un avis contraire. Il ne croyait pas aux miracles de la médecine moderne, il était un vieil humaniste. Je le comprends un peu. Quand je pense à moi-même comme si c'était quelqu'un d'autre, je trouve ça aussi inquiétant. Pourtant, j'ai deux yeux, un nez, une bouche ; rien ne me distingue des autres et le vide que j'ai ne paraît pas. J'ai le teint livide et mes cheveux sont trop minces, mais je m'en contente. Et je ne vois pas pourquoi j'irais au soleil. Si j'aime les régions désertiques, ce n'est pas pour la lumière ou la chaleur, mais pour les cactus. À tout prendre, je préfère la pénombre.

Au début, on a cru que j'étais autiste. Mais ce n'est pas cela. Je ne comprends tout simplement pas les gens. Il y a entre eux et moi une paroi qui rend tout opaque. Je parle leur langue, mais je préfère le silence, l'attente. Tout jeune, j'ai trouvé au fond d'une boîte un métronome. Il ressemblait à une petite pyramide, je l'ai ouverte pour en dégager le sarcophage. Il y avait à l'intérieur une baguette, des chiffres, une manette que j'ai aussitôt remontée. À mon grand étonnement, l'objet est revenu à la vie et la baguette a commencé à se balancer de droite à gauche en produisant un son délicieux. Quelque chose dans le rythme régulier de l'appareil m'hypnotisait, comme si j'y trouvais le sens même de ma vie, ma propre origine. Le battement m'a enveloppé et je me suis endormi. Ma grand-mère m'a trouvé sur le tapis de sa chambre, le cœur contre le boîtier du métronome, dans un demi-sommeil paisible. Elle s'est mise à pleurer, a voulu m'enlever de là et confisquer le métronome. Je ne me suis pas laissé faire. J'ai couru dans ma chambre et j'ai caché ce cœur qui imitait le mien. Il est le plus fidèle de mes compagnons de nuit.

Je ne suis pas musicien, il paraît pourtant que j'ai un bon sens du rythme. J'aime bien la musique, le problème n'est pas là. Je ne peux écouter qu'un seul instrument à la fois. Un piano ou une guitare, oui. Mais les deux en même temps, non. C'est la même chose pour les conversations. Quand on m'adresse la parole, je réponds sans trop de problème. Mais discuter est au-delà de mes forces. Je parviens à le faire quelque temps, mais je me referme vite. Ma peau se durcit et, pour me calmer, j'écoute le battement diffus du métronome. Les plantes ne parlent pas. Elles ne répondent pas quand on leur murmure des choses délicates. Je les aime, et les cactus par-dessus tout, car ils peuvent attendre indéfiniment le retour de la pluie. Majestueux. Ils n'ont besoin de rien. On croirait, à les regarder, que le monde les effleure à peine, mais ce repli est une manière d'être, une façon de se protéger.

À mon retour à l'hôpital, quand les quatre infirmières de l'étage ont appris la fin de mon aventure au Jardin et la chute de Tête d'ange, elles se sont cotisées pour m'acheter un cactus, un *rebutia muscula*. Il supporte bien l'air plutôt froid de ma chambre, le soleil direct de l'après-midi et mes petites inattentions. Ma plante a quatre boutons, un pour chacune des infirmières. Je peux ainsi leur donner quelque chose en retour. J'ai un sens du rythme, mais je n'ai aucune conception du temps. Je ne sais pas quel est mon âge, il paraît que j'ai vieilli rapidement. C'est ce regard que j'ai, comme celui des statues grecques, aux membres coupés, au sexe caché et aux orbites vides. Je peux tenir la mesure localement, pour de courtes périodes, mais je n'ai aucune conception de la durée. Mes rythmes sont rompus, ils fonctionnent par à-coups. Le métronome y est pour quelque chose. Il ne fonctionne que quand il est remonté, quand ses ressorts sont bandés et qu'ils se relâchent lentement. Quand la tension a disparu, la baguette s'immobilise et je m'affaisse. Il n'y a plus que le silence, celui des corps inertes que rien ne vient perturber, le vide épais comme un cauchemar.

Maintenant, je peux le remonter moi-même, me réveiller la nuit et le remettre en marche pour regagner paisiblement le sommeil. Mais, au début, je ne pouvais rien faire. Je devais attendre que quelqu'un m'aide. Et encore, ce n'était pas une attente, une absence plutôt, une disparition. Je n'avais rien contre quoi me blottir. Et quand le métronome se remettait à fonctionner, je reprenais vie. J'étais en présence. Rien n'a changé. Ce qui était autour, je l'ai maintenant mis en moi. Entre deux métronomes, je ne parviens pas à sentir le temps passer. J'en reste exclu. Mon grand-père me craignait. Car il voyait le caractère artificiel de mon existence. Je ne lui en veux pas. J'aurais aimé pourtant qu'il m'accepte. Mais il est parti lui aussi, comme mon père.

J'ai grandi à l'écart du monde. Je me tenais loin des foules à la récréation, préférant plutôt la bibliothèque. Pas à cause des livres, mais du silence et du rythme régulier des horloges. Je n'ai jamais aimé les jeux d'enfants. Je ne parviens pas à comprendre l'insouciance des corps qui se mêlent les uns aux autres. Il me faut une certaine distance. Je me sens plus à l'aise dans une pièce fermée que dans un espace ouvert. En plus, je préfère l'immobilité au mouvement ; je n'aime pas entendre ma respiration. Je n'aime pas marcher vite et sentir mon pouls s'accélérer, mon souffle devenir plus lourd, forcé, bruyant. Je ne souffre pas d'asthme. C'est la présence de cet air, qui entre et qui sort, tout à coup révélée, dès qu'il faut forcer. Je préfère ne pas me rendre compte que je respire, ne rien entendre et ne rien savoir de mes poumons. Quand on reste assis ou quand on se tient bien droit, fixe comme un *cephalocereus*, on en vient à oublier ses propres fonctions respiratoires. L'air entre en nous comme par un courant imperceptible. On se fond dans l'environnement.

Les médecins se sont interrogés sur mon aversion à la respiration. Ils y voyaient une maladie quelconque. Non. L'absence de respiration est simplement au cœur même de ma naissance. Je l'ai accepté, je ne vois pas pourquoi ils ne le comprendraient pas. Je ne suis pas un monstre, malgré ce que je peux lire sur leur visage. Je voudrais me choquer, mais je ne sais pas quoi faire de la colère. Il faudrait qu'elle soit silencieuse pour qu'elle ne se retourne pas contre moi. Je me tais. Et pourtant, j'ai l'impression qu'ils improvisent, qu'ils font ça depuis le début. J'étais leur petite expérience, ils étaient bien contents de me savoir encore en vie, miraculeusement indemne, et maintenant qu'ils croient que j'ai mal tourné, ils préféreraient que je disparaisse. Mais je lutte, comme un agave, me nourrissant de la plus petite goutte d'eau.

Au Jardin, j'aimais bien me coller contre le premier mur de la *Hacienda*, la tête contre le crépi peint couleur de chair, et regarder les *cereus* dans le calme des après-midi d'automne. Je leur trouvais une telle sagesse, une telle force dans leur obstination à défier le temps, qu'ils me donnaient du courage pour affronter le reste de la vie. Je prenais exemple sur eux. En les regardant, je savais comment faire pour rester droit, malgré tout. Je fermais les yeux, retenant ma respiration, et durcissais un peu le dos. Mais je suis tombé amoureux et j'ai dû revenir de façon précipitée à l'hôpital. Je ne regrette rien. Si je ne l'avais pas fait, je n'aurais jamais su quelles étaient mes limites. J'aurais voulu pleurer un peu, à mon retour, quand l'infirmière m'a enveloppé dans une grande serviette et qu'elle m'a demandé de tout lui raconter, mais je sais pourquoi je n'y suis pas parvenu. Dans les régions arides, les cactus se doivent de conserver jalousement leur eau.

Tout a commencé dans la serre des régions arides des continents africain et américain du Jardin botanique. Car j'ai été pendant quelque temps apprenti jardinier. Cela a été mon seul emploi. On ne m'a pas renvoyé, j'ai dû le quitter subitement pour des raisons personnelles. J'ai choisi de devenir jardinier un lundi après-midi. Je m'en souviens encore, mon métronome battait la mesure à une cadence très lente. À la télévision, je suivais l'histoire d'un homme qui ne connaissait rien d'autre que l'horticulture. Physiquement nous sommes totalement différents, mais j'avais reconnu dans ses yeux quelque chose de familier et dans ses gestes, une sorte de lenteur, une concentration. En le voyant, j'ai compris ce que je ferais dans la vie, et je suis devenu apprenti jardinier, affecté à ma demande aux soins des cactus et des plantes succulentes.

Je me suis présenté au Jardin botanique l'après-midi d'un lundi ensoleillé mais un peu frais. Le complexe d'accueil était en pleine construction, il fallait pénétrer par une entrée temporaire à l'extrémité de l'aile est. Le préposé était affable. J'ai payé mon entrée et j'ai commencé à me promener. J'aurais pu aller d'abord à l'extérieur, visiter le Jardin de Chine ou le Jardin japonais et son pavillon, toutes ces allées qu'il faut parcourir afin de passer d'un arrangement à l'autre, mais l'air humide et chaud des serres me semblait plus approprié à mon état d'esprit. Et puis, il n'était pas question que je me promène du côté de l'Insectarium. Tout ce frétillement, ces petits bruits grinçants me rendent anxieux.

La première serre était consacrée aux fougères. Le vert était omniprésent, jusque dans les étangs artificiels. C'était beau, mais l'odeur était trop forte, tout comme l'humidité qui passait à travers mes vêtements, ma chemise, mes chaussettes, et qui m'a laissé un arrière-goût pâteux dans la bouche. Elle donnait sur la section des orchidées et des aracées, qui n'étaient pas en fleurs pour la plupart, et que j'ai traversée déçu. Je marchais lentement, appréciant les plantes, les noms, suivant le sentier, lisant les indications. Mais ce n'était qu'une parade. Un étrange pressentiment me disait que je n'étais pas là où on m'attendait. La section des plantes tropicales économiques me laissa aussi un peu froid. Mon cœur pourtant s'est réchauffé quand je suis passé à la dernière section avant l'entrée principale, celle des forêts tropicales humides. Tout à coup, je me suis redressé à la vue de tous ces arbres aux fruits lourds et à l'écorce recouverte de mousse : bananier, colatier, jacquier des Indes, cocotier, cycas du Japon, ylang-ylang d'Asie tropicale, caroubier trapu et cet arbre du voyageur qui touchait le plafond de la serre, comme la queue d'un paon à demi ouverte. J'ai retenu les noms avec une vitesse déconcertante.

Je n'étais pas encore là où je voulais me rendre, mais je me rapprochais. Je brûlais, comme on dit. Une sensation inconfortable, moi qui préfère des températures stables, mais que j'interprétais pour une fois différemment. Elle ne me forçait pas à me replier en moi, mais au contraire à avancer. J'ai traversé le hall d'entrée en pleine rénovation et je suis passé à l'aile ouest où les bégonias m'accueillirent avec le sourire. Elles savaient bien que je n'étais pas venu pour elles, mais la politesse est leur vertu. J'ai continué ma route. Je me suis rendu jusqu'aux portes du fond qui étaient fermées, pour maintenir l'écart entre les températures fort différentes des deux sections, et les ai ouvertes d'un coup sec.

Je n'ai pas eu besoin de pénétrer dans la serre des régions arides pour savoir que j'avais atteint ma destination. J'avais trouvé mon jardin. Même la lumière était différente, un peu plus orangée, plus nette aussi. Je ne me suis pas laissé divertir par la région africaine, simple entrée avant le plat principal. Je l'ai traversée d'un coup pour me rendre au petit pont à gauche, le franchir et pénétrer profondément dans la région américaine, la plus aride, la seule où poussent les véritables cactus. J'étais ébloui. Je me suis rendu jusqu'au bout, jusqu'aux portes de la *Hacienda*, avec son faux décor mexicain, ses fragments de toit en terre cuite, ses arches basses, son carrelage rouge et orange ; puis j'ai rebroussé chemin, en prenant par le sentier de droite. Mon domaine était petit, mais il était complet. En fait, je ne me suis jamais rendu plus loin que la *Hacienda* ; je n'avais aucun intérêt pour les bonsaïs du Jardin céleste, ni pour les expositions temporaires du dernier pavillon.

Je suis resté debout, les bras légèrement écartés, les pieds bien à plat sur le sol, respirant à peine, immobile comme un cierge. Si j'avais pu, je me serais fondu dans l'environnement, je me serais couvert d'épines. J'ai dû rester figé très longtemps dans la petite allée, à bloquer le passage et à faire peur aux préposés, car bientôt le directeur adjoint du Jardin s'est approché. Il m'a posé une question sur mon état de santé. Il tentait d'être poli, malgré son inquiétude. Il m'a offert de passer à son bureau. Je n'avais aucune raison de refuser. Nous y avons parlé à tour de rôle. Je lui ai expliqué ma volonté soudaine de travailler au Jardin, dans les serres, plus spécifiquement dans les forêts arides américaines. Il n'était pas impressionné, d'autant moins que je n'avais aucune expérience. Je lui ai dit qu'au contraire j'avais passé ma vie à m'occuper d'un cactus ; il fallait simplement le convaincre que ce n'était pas une figure de style.

J'avais appris, longtemps auparavant, l'existence d'un programme d'intégration des handicapés, qui pouvait payer une partie de mon salaire. Il ne m'avait jamais été utile, mais j'en ai redécouvert sur le coup les mérites. Le directeur adjoint connaissait le programme, mais ne voyait pas comment il pouvait s'appliquer à mon cas. Je semblais bien portant, j'avais tous mes membres. Je lui ai donc expliqué quel était mon handicap. J'aurais préféré ne pas avoir à révéler les circonstances de mon développement utérin, ce que j'évite habituellement, mais je devais jouer le tout pour le tout. À la fin, ému par mes débuts plus que laborieux, touché par mon identification aux cactus, il a sorti un formulaire. Il ne pouvait prendre une décision seul, il en parlerait au directeur. Il m'a fait entendre pourtant qu'il recommanderait chaudement ma candidature, si mon histoire était vraie. Je n'en doutais nullement. Il m'a laissé retourner à la serre numéro sept et il m'a même donné un laissez-passer valide pour tout le mois.

C'est ainsi que j'ai fait connaissance avec les cactus du désert américain. Je me tenais à l'écart, pour n'effrayer personne et ne pas nuire à mes chances d'emploi. Quand un jardinier se présentait, je m'effaçais dans un coin et épiais son travail. Tout paraissait tellement simple. Les employés avaient été prévenus de ma présence et de mon intégration éventuelle. Ils l'acceptaient, ne paraissaient jamais inquiets et ne me demandaient rien. J'ai compris que, comme je ne remuais pas beaucoup, ils me prenaient pour une plante. J'étais un autre *cereus*, un peu plus habillé, c'est tout. Que je sois derrière eux, à les regarder faire, n'était pas plus étonnant que si j'étais le cactus tuyau d'orgue du centre de la serre, accompagné de sa reine de la nuit et d'une raquette. Leur attitude me comblait. Non seulement je me sentais à l'aise, j'avais le sentiment d'appartenir enfin à une espèce. Et ce sentiment était partagé. Je faisais partie de la grande famille des cactus, cela sautait aux yeux.

Ces plantes sont magnifiques. Mes préférences sont allées très vite aux cierges. Je n'ai rien contre les agaves, aux innombrables variétés, mais leurs feuilles sont comme les pattes d'une pieuvre et elles sont trop basses à mon goût, trop fournies. Les cactus oursins sont délicats, mais leurs formes arrondies et leur tendance à se réunir en grappes me laissent indifférent. C'est comme pour les *opuntias* aux formes rondes et désordonnées ou les *echinocactus* avec leurs grosses boules striées. Par contre, le spécimen de *cleistocactus*, enveloppé d'ouate avec son poil très fin, beige et onctueux, ou encore son très proche voisin, le cierge *mandaracu cereus*, droit comme une chandelle dont la cire aurait légèrement fondu, étaient faits pour me plaire, avec leurs lignes élancées, leur solitude aussi.

Même s'ils étaient collés les uns sur les autres, je comprenais bien à les voir qu'ils étaient faits pour vivre seuls, dans les hauts plateaux désertiques du sud des États-Unis et du Mexique. L'exiguïté des lieux leur est contre nature, mais ils n'ont d'autre choix que de la supporter. Ils sont faits pour survivre à des conditions climatiques extrêmes, une absence de chaleur, des précipitations sporadiques, une rosée faible comme le regard un peu perdu du nouveau-né. Ils vivent et grandissent et se nourrissent seuls, loin de tous, à l'abri des bruits et des mouvements brusques de la vie. Ils sont des cierges qui ne brûlent pas, leur mèche enfouie dans la chair. Leur immobilité est leur force. Ils savent jouer du temps comme d'un instrument à vent, attendre les longues heures de la nuit, laisser filer les lenteurs d'une journée sans nuages. Ils sont impassibles, indifférents, et ils n'ont rien à faire d'un monde qui ne sait pas comment les approcher. Ils ne craignent rien. Ils se contentent d'un peu de pluie qu'ils accumulent dans leurs tissus aquifères. Ils sont secrets. On ne voit d'eux que ce qu'ils veulent bien montrer. Le volume de leurs racines peut représenter jusqu'à dix fois leur partie aérienne, des racines qui s'étendent et se développent aux quatre coins des plateaux où ils logent. Et avec leurs aiguillons, ils se protègent des intrus. Ils sont d'une efficacité que je ne parviendrai jamais à atteindre. J'aurai beau me nourrir du minimum vital, fuir les autres, perdre la notion du temps à toute heure du jour, je devrai toujours rechercher, la nuit, le rythme du métronome.

Je n'ai pas eu trop de temps à attendre. Après quatre jours passés à déambuler sur le sentier de la serre, à identifier les variétés par leur nom et à aider subrepticement au nettoyage des plantes, le directeur adjoint m'a appelé à son bureau. Il avait de bonnes nouvelles à me communiquer. On était prêt à me donner une chance. Le programme gouvernemental durait une demi-année; j'avais tout ce temps pour montrer au Jardin que j'y étais à ma place. Il m'a affecté immédiatement à la section des régions arides. Ce n'était pas une pratique courante de limiter le rayon d'action des jardiniers, mais dans mon cas, on préférait que je commence avec des espèces qui m'étaient familières. Si tout allait bien et que je voulais par la suite diversifier ma pratique, je pourrais passer à une autre serre. Je lui ai répondu que ce ne serait pas nécessaire. Il n'en était pas étonné.

Je suis sorti de son bureau avec un nom en poche et des cactées plein la tête. Je disposais de quelques jours pour m'acheter des gants et des bottes de travail, quelques instruments, un couteau. Quant au nom, c'était celui du jardinier qui me servirait de tuteur. Une femme, Marie-Thérèse, et je devais aller la voir au début de la semaine suivante. Je suis passé une dernière fois à la serre, fermant quelque peu les yeux, jusqu'à ce que la connivence soit définitivement rétablie, et je suis parti heureux pour la première fois de ma vie. Juste avant de sortir, au moment où je me suis retourné, j'ai cru sentir un léger frémissement du côté droit, presque au fond, à côté du mur de la *Hacienda*, juste derrière l'*opuntia*. Je me suis avancé, mais je n'ai rien discerné d'autre. Tout était calme, tout était comme il se doit. Pourtant cela avait vibré. J'en étais certain. Mes sens ne me trahissaient pas.

Marie-Thérèse m'attendait, le lundi matin, à l'entrée de la serre. Elle devait avoir une trentaine d'années. Elle était mince, avec des cheveux noirs, des yeux bruns et un sourire sans racines. Elle m'a expliqué rapidement qu'elle était séparée de son second mari, qu'elle vivait seule et sans enfants, sa seule famille étant les plantes du Jardin dont elle s'occupait depuis des années. Elle était curieuse et voulait savoir pourquoi on m'avait nommé apprenti jardinier. Avais-je un parent haut placé au conseil d'administration? Le directeur adjoint n'avait rien voulu lui dire, sinon que j'étais sous ses ordres pour les six prochains mois. J'avais l'air gentil. Tant que je ferais ce qu'elle me demandait, tout irait bien. Et sans plus tarder, elle m'a ordonné de la rejoindre juste à côté du petit pont.

Mon entraînement s'est fait sans problème. J'étais un étudiant attentif. Je manipulais facilement truelles et grattoirs; je préparais les semis, arrosais parcimonieusement les plantes selon un horaire complexe, inscrit sur une série de fiches roses que je lisais aisément. Je m'approchais sans hésiter des plantes. Je ne leur parlais pas, comme Marie-Thérèse le faisait de sa voix chantante. Mais certains silences sont porteurs de paroles et les miens ne trompaient personne. Ils étaient reçus comme des caresses. J'ai appris à ne pas laisser d'empreintes sur le sable, à nettoyer les aiguillons des saletés qui s'y accrochaient, à surveiller la température. Il faut être discret dans ses soins. Marie-Thérèse m'a appris à distinguer les plantes bouteilles des plantes cailloux, lanternes et méduses, à redresser un pied d'éléphant, à ouvrir une main de nègre, plier des doigts de dieu et soigner des fleurs de porcelaine. Elle m'a montré un passage du *Cantique des cantiques* où il était question des roses du désert et a tenté de me faire goûter à un cactus fraise. Je prenais tellement tout au sérieux.

Chaque soir, avant de partir, je faisais une ronde, pour m'assurer que tout était en ordre dans la serre et que les fenêtres ouvertes les après-midi de grand soleil avaient été fermées. Seul, unique humain de la serre, je prenais alors mon temps, frôlant quelques plantes du bout des doigts. Et chaque fois, sur le chemin de retour, je ressentais la même chose, l'étrange sensation qu'on avait tressailli à mon passage, que le vent de mon déplacement avait provoqué un frisson, délicat et serein, comme une reconnaissance. J'avais beau me retourner, épier du coin de l'œil, rien n'y faisait, ce n'était qu'un pressentiment. Je n'étais pas effrayé. Au contraire, je me sentais plutôt réconforté par ce soupçon d'appel, ce frottement de l'air. Et je le portais avec moi, il m'accompagnait jusque dans mon sommeil.

Les plantes qui m'intéressaient le plus étaient les *cephalocereus*, les cierges. La serre en contenait de nombreuses variétés. Ce sont les cactus les plus spectaculaires. Ceux du jardin avaient à peu près tous les mêmes caractéristiques, un seul tronc allongé, rectiligne, avec cet air vaguement intelligent des myopes. Ils n'étaient qu'une tige cylindrique et cannelée qui pouvait monter jusqu'à deux mètres, une forme charnue à l'épiderme lisse, qui se terminait sur une tête toute simple, comme celle d'un vieillard un peu chauve et digne. Quelquefois, tout en haut, pouvait leur pousser une fleur éphémère, d'une couleur invariablement criarde, du rouge de feu, de l'orange de sang, faite pour attirer les insectes et les oiseaux. Leurs épines poussaient surtout par grappes, huit moyennes et deux petites sur le dessus, des étoiles espacées de façon régulière.

Mon favori était le *cephalocereus chrysostele*, un cierge tout mince et retenu par un tuteur, qui se tenait un peu à l'écart, près du mur de droite de la *Hacienda*. Il était fragile et chancelant. À cause du blanc légèrement doré de ses aiguilles, de ses étoiles très denses, je l'avais nommé Tête d'ange. Marie-Thérèse m'a expliqué qu'on l'avait réchappé d'une mort certaine, quelques années plus tôt, et que depuis ce temps il vivotait. L'échelle du vitrier, venu renforcer l'étanchéité du plafond, avait basculé et l'avait frappé de plein fouet. Atteint à mi-corps, il avait plié en deux, sans pour autant se rompre et, comme il ne tenait plus droit seul, il avait fallu l'attacher à une tige métallique. Marie-Thérèse m'a expliqué qu'il allait beaucoup mieux depuis quelque temps, qu'il avait repris des couleurs. Ses aiguilles étaient beaucoup plus solides et ne pliaient plus sous la simple pression des doigts.

La blessure de Tête d'ange n'était plus visible à l'œil nu, ce qui ne l'empêchait pas d'être présente. Il y a des plaies qu'on porte en soi et qui filtrent tout, nos perceptions, nos émotions, nos silences. Elles restent là, épiant sournoisement nos gestes. Nous nous ressemblions. La chute de l'échelle n'avait pas été préméditée, elle avait pourtant eu lieu et mon *cephalocereus* devait vivre avec ses conséquences. C'était le destin. Il avait à se développer entouré de spécimens en santé, irrités peut-être de l'exiguïté des lieux, mais soignés par les jardiniers et finalement contents de leur sort. Il était un être d'exception et on le traitait en conséquence, comme un malade, marqué avant tout par le mauvais sort.

Marie-Thérèse se disait très satisfaite de mon travail. J'avais un effet bénéfique sur la flore de sa serre. Je savais comment m'en occuper, comment surtout ne pas faire de gestes inutiles. La tendance, chez les jardiniers, est d'intervenir ; ils ressemblent en cela aux médecins. Pourtant, avec les cactacées, l'inaction est le meilleur des remèdes. Il faut laisser la nature suivre son cours, à son rythme. Marie-Thérèse s'occupait aussi de moi. Elle avait voulu d'abord me présenter à tous les employés du Jardin, mais avait tôt compris ma nature asociale. Elle avait aussi saisi que je préférais des échanges courts et bien espacés à un trop-plein de paroles. Elle riait de mon alimentation, surtout au début quand je ne l'avais pas encore assouplie, et elle m'offrait du chocolat, de l'eau, des petits cadeaux. Le mystère de ma personne l'intriguait, mais je le gardais pour moi. J'aimais pourtant l'attention qu'elle me portait, qui n'était pas faite d'une sollicitude forcée, mais d'une amitié qui me rendait son égal. Au Jardin, je n'étais pas différent des autres.

Tête d'ange recevait mes soins les plus complets. Il occupait en fait toutes mes pensées. Il remplissait ce vide que le métronome n'était jamais parvenu à chasser définitivement. Je le touchais le moins possible, il n'avait pas besoin de contact, mais je le regardais, je soufflais sur ses épines. Je lui faisais sentir ma présence par des petits riens, un murmure, une hésitation, un claquement de la langue. Il n'en avait pas besoin, il savait que j'étais là. Quelquefois, en fin de matinée, quand tous étaient déjà au dîner, je m'installais devant lui, moi aussi bien droit, vibrant à peine, et je laissais filer le temps. J'essayais de rejoindre son rythme, de me ralentir au point de ne plus être au présent, mais dans un avenir confortable de lenteur. À ces moments-là, je sentais comme une fusion de nos êtres.

Ces séances nous étaient bénéfiques à tous deux. Marie-Thérèse a remarqué aussitôt ma bonne mine et la prestance un peu plus ferme du cierge. Elle ne pouvait savoir quel lien s'était noué entre nous, mais elle en appréciait grandement les résultats. Comme mes soins n'impliquaient pas d'instrument et peu de manipulations, elle n'y voyait aucun danger. Elle me passait la main dans les cheveux, me disant que j'avais bien travaillé. J'en restais ému longtemps et Tête d'ange vibrait. Car c'était bien lui qui tressaillait au début, à la fin de mes premières rondes. Personne ne me l'avait dit, mais ce ne pouvait être que lui. Nous nous ressemblions et il s'en était rendu compte le premier. En allant vers lui, je n'avais fait que répondre à son appel.

Un soir pour en avoir le cœur net, au lieu de quitter les lieux après ma ronde, de mettre mon manteau et de partir dans le froid de l'hiver, j'ai résolu de rester dans la serre et de tenter une petite expérience. J'avais apporté mon métronome, qui ne sortait pourtant jamais de chez moi. Je l'ai mis sur le béton de l'allée, en face de Tête d'ange. Je l'ai ajusté à son rythme le plus lent et je l'ai laissé démarrer. Le claquement de la baguette a résonné nettement contre les murs vitrés de la serre. Je me suis assis tout à côté, épiant les réactions du cierge. J'ai eu au début l'impression qu'il ne se passerait rien. J'étais réconforté par ce mouvement dont je connaissais bien les temps et j'avais de la difficulté à rester concentré. J'ai somnolé quelque peu. Et quand je me suis réveillé, la pièce semblait emplie d'un étrange chant. Une mélodie, sans parole ni musique, sans instrument, portée par l'air un peu lourd du soir. Tête d'ange oscillait majestueusement. Même son tuteur suivait le rythme. Et il n'était pas seul. Tous les agaves, *opuntia* et *cereus* du Jardin lui emboîtaient le pas. Je croyais rêver. La serre était bruyante d'un chant qui me faisait mal. Il y en avait trop. Ils parlaient tous ensemble. Cela m'a fait peur. J'ai stoppé brusquement le métronome et me suis enfui à toute vitesse. La douleur se lisait à mes tempes qui étaient boursouflées.

Au matin, Marie-Thérèse a observé que les cactus étaient d'un vert qu'elle n'avait pas vu depuis le début de l'automne. Elle m'a demandé ce que j'avais encore fait pour les mettre dans un si bel état. Je n'avais pas de réponse. Elle m'a embrassé sur la joue. Le soir, pourtant, je suis parti avec les autres, et le lendemain et le surlendemain aussi. J'avais eu trop peur la première fois. Je n'étais pas prêt à recommencer. Les cactus réagirent violemment. Ils commencèrent à perdre de leurs couleurs. Quelques fleurs se fanèrent. Les agaves s'écrasèrent sur le sol. Un cierge rétrécit. Marie-Thérèse s'inquiéta. À ma dernière ronde, je n'avais plus droit à un tressaillement de connivence mais à une sourde immobilité. On me punissait. Je n'avais plus le droit de partir sans rester un peu, à partager mon rythme avec eux. Je devais continuer ce que j'avais commencé.

J'ai donc apporté une nouvelle fois mon métronome et, toujours seul dans le Jardin, j'ai serré les dents et l'ai remis en marche. La même torpeur m'a gagné. Je me suis endormi sur le sol rugueux de ma région aride et, au réveil, mon *chrysostele* vibrait d'une douce mélodie, que j'ai devinée être la sienne aux souvenirs qu'elle contenait, d'une grande blessure, d'une longue réhabilitation et d'une présence toute nouvelle et réconfortante. Tête d'ange était seul à muser au rythme de mon métronome. Les autres restaient muets. On ne voulait pas m'effrayer une seconde fois. Ils avaient saisi, je ne sais comment, que ce n'était pas leur chant qui m'avait effrayé, mais la cacophonie de toutes ces voix, emmêlées les unes aux autres. Le lendemain, un agave s'est joint à la mélodie du cierge et, ensemble, ils ont conté nos trois vies. Je ne m'étais jamais senti aussi bien. Un sentiment d'appartenance, tout nouveau, m'a réchauffé et m'a fait oublier la froideur de la nuit maintenant pleine. Je me suis endormi. Au matin, quand les premiers jardiniers sont arrivés, je suis allé me cacher derrière le mur de la *Hacienda*. Personne ne s'est rendu compte que je n'étais jamais parti. Marie-Thérèse a noté, par contre, que les cactées avaient retrouvé leur bonne mine.

La nuit suivante, le même scénario s'est répété, sauf qu'à mon réveil ce n'étaient pas deux mais trois cactus qui se tendaient au rythme de mon métronome. Mon rapport privilégié était avec Tête d'ange et c'est à notre unisson que venaient se superposer les autres notes. La nuit d'après, quatre ont vibré; et puis ils ont été cinq. Graduellement, un cactus à la fois, la serre s'est jointe au cœur. Ce qui m'était apparu, la première nuit, comme une cacophonie assourdissante, était simplement un ensemble d'une complexité étonnante, mêlant des existences aux timbres opposés, issues de terres aussi diverses que les plateaux de la Patagonie et les déserts du Nouveau Mexique. Car les plantes disaient leur appartenance à un lieu dont elles étaient maintenant séparées. Leur nostalgie était grande. Les rythmes irréguliers de ma propre existence se mêlaient à l'ensemble.

Par suite de nos rencontres nocturnes, la serre était resplendissante, les plantes ne s'étaient jamais mieux portées. On se serait cru au printemps et, même, au dire de Marie-Thérèse, un printemps sans commune mesure. Comme si les cactus s'amusaient, qu'ils riaient, eux d'ordinaire si réservés. Et, sans trop savoir, elle attribuait ce regain de vie à ma présence. Elle trouvait aussi que je vieillissais. Moi, jusque-là imberbe, je commençais à avoir une barbe. Quand elle me l'a dit, j'ai d'abord été gêné. Je ne rentrais presque plus chez moi la nuit, je ne me regardais plus dans aucun miroir. Je ne l'avais, de toute façon, jamais beaucoup fait. Je me suis élancé aux toilettes où j'ai pu admirer les petits poils dorés qui me poussaient aux joues et sur la lèvre supérieure. Mes cheveux aussi étaient différents, ils étaient un peu plus rigides. Marie-Thérèse m'a dit, à mon retour, aimer ma nouvelle apparence. Je n'avais pas à m'inquiéter, elle me trouvait un air charmeur, un peu corsaire. Je n'étais plus le même homme.

Je ne sais pas ce que nous nous disions la nuit, mais les effets sur nous tous étaient importants. Je me sentais en vie et Tête d'ange était pareil. Il lui est même poussé, ce qui ne s'était jamais produit, une fleur, tout en haut, au-dessus de nos têtes. Une belle fleur rouge, aux multiples pétales, étagés. Elle était merveilleuse. C'était son cadeau. Pour le remercier, j'ai choisi de faire quelque chose de personnel. Discrètement, je suis allé déposer sur sa tête, là où les épines s'entremêlent, dans le creux en plein milieu, une mèche de mes propres cheveux. Rien n'y paraissait, c'était entre lui et moi. La mèche ne serait délogée que par un vent violent, peu probable dans la serre. Nos destins étaient liés. J'ai compris, la nuit venue, que mon geste avait été le bon. Le chant de la serre était plus mélodieux que d'habitude. On célébrait la tête couronnée de mon cactus. Cela n'a pas duré longtemps. Nous étions tous en train de bourdonner notre joie quand, d'un coup, le silence se fit.

Marie-Thérèse venait d'arriver. Elle avait oublié des papiers sur la table, dans la *Hacienda*, et était revenue les chercher. Elle ne comprenait pas ce que je faisais là, assis sur le sol et avec ce métronome, qui continuait à battre la mesure. Ses questions allaient dans toutes les directions. Je ne parvenais pas à lui répondre. Je ne savais pas si quelqu'un d'autre pouvait imaginer le type de communication qui s'était développé. Marie-Thérèse a fini par se mettre à rire. Plus rien, depuis que j'étais arrivé au Jardin, ne la surprenait. Et je devais bien faire quelque chose de particulier pour que la serre se comporte de cette façon. Elle ne comprenait pas pourquoi un métronome était nécessaire, mais elle était ouverte à toutes les explications. Ce qu'elle avait vu en entrant, et senti aussi, l'avait remuée. Elle m'a dit : « Lève-toi. Je t'invite. » Elle habitait tout près. Je devais avoir faim, elle me préparerait des nouilles. Je ne pouvais pas refuser. J'avais le goût de lui expliquer. Au moment de partir, j'ai senti un vague tressaillement, je n'aurais pas dû me retourner.

L'appartement de Marie-Thérèse était vide. Elle avait quelques plantes, une petite table, un divan, un lit. Elle aussi vivait surtout pour le Jardin. Nous avons mangé lentement. Elle avait ouvert une bouteille de vin. Je ne bois pas et ne voulais pas en consommer, mais elle m'a forcé à en prendre au moins un verre. Elle n'aimait pas boire seule. Les pâtes étaient bonnes. Des cheveux d'ange. J'en ai mangé un peu, essayant d'évaluer les calories d'un verre de vin et d'équilibrer mon absorption de pâtes en conséquence. Marie-Thérèse a compris mon embarras et m'a invité à ne manger que ce qui me conviendrait. Je calculais mal; l'effet de l'alcool était d'autant plus fort qu'il était nouveau. Le timbre de sa voix était chaud, il m'enveloppait de la même façon que le chant de la serre. Il me faisait oublier où j'étais. Nous nous sommes levés pour aller au petit salon et nous asseoir sur le divan, proches l'un de l'autre. Et c'est là que je lui ai expliqué ma découverte, l'effet du métronome sur les cactus, mes soirées passées à échanger à même le silence de nos vies, ma relation avec Tête d'ange. Elle se versait des rasades de vin et m'offrit même un autre verre que j'ai bu sans m'en rendre compte, parlant d'un trait de mon expérience. Marie-Thérèse était fascinée. Elle me répondait que j'exagérais, qu'il devait y avoir une part de rêve; mais, en même temps, elle trouvait mon récit très beau, comme une histoire d'amour.

Pendant que je lui parlais, elle s'était approchée, au point que nos corps se touchèrent. Elle a commencé à passer sa main dans mes cheveux, à la base, près de mon cou, ses doigts suivant les aspérités de mon crâne. J'avais de la difficulté à me concentrer sur mes explications. C'était gênant, mais en même temps très agréable. Je tentais de lui décrire le sentiment de communion de mes soirées dans la serre et elle ne pensait qu'à jouer avec mes favoris. Elle ne résistait plus à ce que je disais. Elle acceptait toutes mes explications, même les plus incroyables. Mais je crois qu'elle ne prenait plus rien au premier degré. Ce que je lui disais était pourtant littéral. Elle m'a demandé si j'avais déjà fait l'amour avec une femme. Je me suis arrêté net de parler. Cela devait vouloir dire non. À ce moment, j'ai senti que j'avais une érection. Elle s'est levée, m'a pris par la main et m'a entraîné dans sa chambre.

Couché sur le lit, je me suis laissé faire. Une veilleuse diffusait une lumière orangée. Nous nous sommes embrassés. Je n'avais jamais mis ma langue dans la bouche de quelqu'un d'autre : la sensation était étrange. Je ne savais pas quoi faire et je l'ai imitée, tournant ma langue, l'avançant, laissant la sienne entrer dans ma bouche. J'ai frôlé ses seins et elle m'a dit que je pouvais les toucher, mettre ma main directement sur leur masse. Me dire quoi faire l'amusait. Elle a déboutonné son chemisier, l'a ôté, puis elle a détaché son soutien-gorge et, dans la pénombre, j'ai pu les contempler. Mon sexe se tendait dans mon pantalon. J'étais nerveux. Elle a pris ma main et l'a mise sur son sein droit, me disant de le tâter, de prendre le bout et de le pincer légèrement. Pendant ce temps, elle passait sa main dans mon dos, sur mon torse, frôlait mon sexe à travers le tissu. Les sensations étaient très fortes. Elle m'a dit de me calmer, d'y aller lentement. Elle ne voulait pas que je jouisse seul, dans mes sous-vêtements.

J'étais anxieux. J'avais reperdu la notion du temps. Elle m'a dit de baisser mon pantalon, de l'enlever et, pendant que je m'exécutais, a fait de même avec le sien. Ses jambes étaient belles, élancées. Quand j'ai vu son sexe, les poils noirs de son pubis, j'ai eu un moment d'inquiétude. J'en avais déjà vu, dans des revues. Mais il y avait autre chose en jeu, là, une odeur que je n'avais pas prévue, du mouvement, de la vie, de la mort. Elle a pris délicatement mon sexe et l'a caressé. Elle s'est collée contre moi, pour que je sente ses seins contre mon torse, pour que je puisse mettre mes mains sur le haut de ses fesses. Elle me parlait, mais je n'entendais plus. Je pensais à Tête d'ange et à sa fleur. Ses mains ont remonté le long de mes cuisses, ses jambes m'ont enveloppé. Elle a pris ma main et l'a entraînée entre les siennes, ses cuisses beaucoup trop chaudes. Au contact de cette chair humide, j'ai senti que ça n'allait pas. Je ne devais pas être ici, je ne pouvais pas mettre ma main là. Je me suis tendu. Quelque chose au plus profond de moi se révoltait. Un grand vide s'ouvrait et je ne savais plus où mettre mon corps. J'en avais des sueurs froides. Marie-Thérèse interpréta cette tension qu'elle sentait à même ma peau comme une approche imminente de la jouissance. C'était tout le contraire. Je me sentais défaillir. Il me fallait fuir avant que le choc ne se produise. Je me suis débattu. Elle a ouvert ses jambes et a guidé mon sexe dans le sien. Il ne servait à rien d'attendre.

J'ai crié. Je n'ai émis aucun son, mais j'ai crié tout de même. D'une blessure béante comme le monde. Quand mon sexe a pénétré le sien, j'y ai trouvé le vide, sans fin ni contours, de la mort. La mienne, celle de ma mère. Marie-Thérèse n'était plus là. Elle n'était plus un corps, une femme, une peau sillonnée de frissons, marquée par la sueur, mais cette mort que je rejoignais sans le vouloir et que je pénétrais du bout de mon corps. Toute ma vie, j'avais essayé d'oublier les circonstances de ma naissance, mais ce savoir avait peuplé même mes rêves les plus simples. J'avais tenté de faire comme si cela ne comptait pas, de m'adapter à ce monde qui ne me désirait pas et, au moment même où j'avais enfin réussi à m'intégrer, à faire tout ce qu'on pouvait attendre de moi, j'étais frappé en plein ventre, là même où j'aurais dû mourir, quand ma mère l'avait fait. Je n'aurais pas dû la quitter, mais on s'était acharné et j'étais né, dans le silence et le deuil.

Quand mon sexe a pénétré le sien, un vide s'est ouvert qui m'a engouffré tout entier. Je n'avais jamais pensé à ma sexualité, au fait que je retrouverais cet espace que j'avais quitté en catastrophe après cent quatre jours d'un développement dévié de son cours. Au fait que j'aurais à l'affronter et à y dépenser mes forces. Et quand mon sexe y est entré, c'est toute ma vie qui s'est arrêtée. La terreur était trop grande. Je me suis dégagé brusquement de Marie-Thérèse, qui a crié de douleur. Sans le savoir, elle m'avait montré les limites de ma vie. Je me suis habillé en silence, sans me laver, sans parler, et suis sorti. Elle m'a suivi jusqu'à la porte.

Je suis parti sans dire un mot. Mais comment expliquer à quelqu'un qu'on est né dans un désert où rien n'aurait jamais dû pousser ? Comment dire à quelqu'un qu'on aime que sa propre mère était morte avant même de donner naissance à son seul et unique fils ? Je me suis développé dans un corps mort, maintenu artificiellement en vie par des appareils, dans la chambre d'un hôpital où des médecins avaient choisi de poursuivre une grossesse bien engagée. Ils possédaient la technologie, ils avaient voulu essayer l'expérience ; et mon père, qui désirait avoir une fille, avait acquiescé. Ma mère avait été blessée par balle à la tête lors d'une tentative de cambriolage et elle était cliniquement morte le surlendemain de son admission. Mais comme ses fonctions vitales avaient été, dès le début, maintenues par des appareils, rien n'empêchait ce corps sans âme de donner naissance au bébé qu'il portait. Alimenté par intraveineuse, il était oxygéné par des pompes à air qui gonflaient silencieusement ses poumons et il fut régulièrement déplacé, pour empêcher les plaies de lit et donner l'illusion au fœtus qu'il y avait du mouvement. J'allais pouvoir naître.

Ma grand-mère était restée de nombreuses heures à mes côtés, à contempler le corps mort de sa fille et ce ventre qui se gonflait d'une vie improbable. Elle chantait de sa petite voix, me parlait, tentant de ne pas pleurer. Elle aurait préféré que sa fille soit déjà enterrée. On lui volait son deuil. Elle voulait fuir, mais elle ne pouvait supporter l'idée de savoir ce bébé tout seul dans un corps sans vie, à ne pas entendre un cœur qui bat, à ne rien entendre du quotidien. Pour la nuit, et tous ces moments où elle devait s'absenter, elle avait pensé à son vieux métronome. Elle le remontait avant de partir, espérant ainsi reproduire le battement du cœur de sa fille. Mais l'appareil ne battait la mesure que pendant une petite heure et, pour le reste de la nuit, il n'y avait plus que le silence. Le néant. Les infirmières le remontaient quelquefois, mais elles préféraient se tenir loin de cette pièce qui leur donnait le cafard. Les moments de vie étaient séparés par de longs silences morts. Et je suis né, par césarienne, après cent quatre jours de cette cohabitation forcée et contre nature. Ma mère était enceinte d'à peine douze semaines, quand la balle l'avait frappée en plein front. J'aurais donc pu rester plus longtemps encore, un autre mois, si je n'avais commencé à souffrir de certaines difficultés respiratoires. On me dégagea donc de ce ventre pour me placer dans un incubateur, où on admira quelque temps les résultats inespérés de cette expérience scientifique.

Et ces cent quatre jours étaient revenus d'un coup, quand mon sexe avait franchi le corps de Marie-Thérèse. Je ne l'avais pas prévu. Comment aurais-je pu ? J'ai marché longuement dans les rues de la ville. J'avais froid. Je tremblais. J'ai pensé à la serre. Mon métronome s'y trouvait toujours et j'en avais besoin. Il me fallait un peu de sécurité. Tête d'ange aussi s'y trouvait et à lui je pouvais tout expliquer. Peut-être même savait-il déjà ? J'ai fait route vers le Jardin botanique. La seule pensée du Jardin me réconfortait déjà un peu. J'ai marché vite. Je me suis rendu à la porte des employés. Mais je ne suis pas parvenu à entrer. Je n'avais pas les clés. Elles étaient restées chez Marie-Thérèse. J'ai fait le tour de toutes les portes, mais elles étaient fermées à clé. Même les quelques fenêtres que nous laissions souvent ouvertes, malgré le froid, étaient fermées. Il n'était pas possible d'entrer. J'étais désespéré. Les heures qui me séparaient du lendemain matin me paraissaient une éternité. Et il n'était pas question que je brise une fenêtre. Je me suis assis contre la porte principale.

Je me suis souvenu qu'en partant, Marie-Thérèse et moi, nous n'avions pas éteint toutes les lumières de la serre. Si je ne parvenais pas à entrer, je pouvais au moins regarder mes cactus par la fenêtre et peut-être même, à travers la vitre, partager quelques moments. Je me suis dépêché. Je suis allé prendre la vieille échelle qui dormait contre le garage et je l'ai transportée. J'ai trouvé facilement une place où la déposer, à l'abri de la rue et des regards indiscrets, et je suis monté. Le spectacle qui s'est alors offert à moi m'a renversé. C'était dans la serre comme dans ma vie. Tête d'ange était plié en deux, brisé à la hauteur de sa vieille blessure, ouverte à nouveau. Sa fleur était tombée, ses pétales disséminés çà et là. Mon métronome était renversé sur le sol, brisé lui aussi. Ce n'était pas possible. Les autres plantes semblaient consternées. Il ne me restait plus rien. J'ai perdu l'équilibre, j'ai perdu connaissance.

Je me suis levé et j'ai choisi de retourner à l'hôpital. C'était la meilleure solution. Mon cœur ne battait plus.

J'ai marché en direction de l'hôpital. À l'entrée, des gardes m'ont accueilli et, voyant mon effarement, m'ont fait asseoir dans une pièce sombre. Une infirmière s'est aussitôt occupée de moi. Elle m'a enveloppé dans une grande serviette et m'a conseillé de pleurer un peu.

La conjecture

Millaire s'est réveillé ce matin-là. Les enfants ne criaient plus dans la cour de l'école. La radio du voisin s'était tue. Il a bondi hors du lit.

C'était de ces choses qu'il n'oubliait jamais. Se brosser les dents. Vérifier les portes. Laver la vaisselle avant le départ. La routine incluait le réveil.

Il préférait déjeuner sans se presser. S'habiller à son rythme. Être le premier dans la file pour l'autobus. S'asseoir à l'arrière, du côté du chauffeur. Tout était gâché.

Il a déjeuné debout, le rasoir électrique à la main, les cheveux dépeignés. Son café était brûlant. Il a regardé l'heure. Il n'a pas compris ce qu'il a lu.

Millaire a pensé se déclarer malade. Une légère nausée, une raideur à la nuque. Mais il voulait garder ses journées de maladie pour le mois suivant. Des vacances avec Sandrine. Des yeux comme des noisettes. Une façon de l'amadouer.

Son rêve. Au milieu de la nuit, il avait crié. Happé par quelque chose. Il s'en souvient, c'était froid et distant. Rond peut-être. Une apocalypse. Mais ce n'était pas le moment.

Seul au coin de la rue, le vent l'a fait frissonner. La porte de l'autobus s'est ouverte et le chauffeur a ri. Millaire a fait de la main un signe de dégoût. Il s'est aidé de la rampe pour monter.

Assis en avant, près des portes. Silencieux. Le chauffeur a compté sa monnaie. Haut-le-cœur violent. Millaire a demandé au conducteur de rouvrir la porte. L'herbe était humide, sa langue était rêche.

Il est remonté tant bien que mal. Le chauffeur a tenté de le ramener à la maison. Millaire s'est obstiné. Son travail l'attendait. Les livres de comptabilité, le bilan mensuel, les vérifications. Le moment de vérité pour un comptable.

Mme Cortès guettait son arrivée. Le front plissé, les yeux accusateurs. Il a bredouillé son excuse, les épaules voûtées. Sa bouche était pâteuse. Mme Cortès a émis un son sec et un rictus lui a allongé les lèvres. Il était temps de se mettre au travail.

Sitôt assis, Millaire a ouvert son tiroir central. Des crayons, une photo de Sandrine, un bout de chocolat, des cachets d'aspirine. Il les a saisis. Sa raideur à la nuque. Tout était abrupt ce matin. Même ses crayons à bille le mettaient mal à l'aise. Et la régularité de son bureau rectangulaire, les feuilles de papier, les enveloppes de courrier, le livre de comptabilité. La règle.

Assailli par la même nausée, il s'est précipité aux toilettes. La blancheur de l'émail, le bruit de l'eau qui coule, le froid sur ses mains, son visage, le haut de son cou, l'intérieur humecté de ses oreilles, les sillons creusés par ses doigts sur ses joues, les ailes de son nez frôlées au passage ; il a pris de grandes respirations.

Il s'est inspecté dans le miroir, les lèvres presque collées contre sa surface polie. Il n'avait pas bonne mine. Comme si quelque chose lui avait été retiré. Une partie de sa vie.

Il est retourné à son bureau. Au passage, il a fait un grand sourire à Mme Cortès, qui le regardait cigarette au bec. Des paquets bleus qu'elle vidait en une journée. Il est passé devant la salle de montre où étaient exposés les déchiqueteurs à papier de la compagnie. Tout un assortiment de déchiqueteurs. Les gros faits pour les multinationales et capables de vider un édifice sans arrière-pensée. Et les portatifs, conçus pour se glisser dans une valise. Des clients passaient d'un modèle à l'autre à travers une jonchée de ficelles de papier multicolores.

Pensée pour Sandrine, dont les résistances ces derniers temps s'étaient accrues. Il se sentait en déficit perpétuel. Elle coupait court à ses appels téléphoniques, abrégeait leurs sorties, lui refusait l'accès à son appartement. Je n'en peux plus de tes frasques, lui répétait-elle, en se dérobant. Il ne savait plus comment la séduire.

Sa chaise l'attendait, d'un vert grinçant. Vague nausée. Il s'est assis. Il était temps de commencer. Il a sorti du papier brouillon, sa calculatrice, une gomme à effacer, sa règle, le dé en caoutchouc pour tourner les pages, et a pris le grand livre gris des comptes.

Le mois de mai tirait à sa fin, les lignes de son livre étaient lourdes de factures à vérifier. Elles avaient été entrées et calculées. Une première somme avait été tirée. Elle devait être confirmée. L'équilibre. Le retour à zéro. Ni plus ni moins.

Il fallait rendre compte de tout, de la moindre écriture, du dernier sou. Après son passage, plus rien ne devait dépasser. Une tâche ardue mais stimulante. Et il s'y était toujours adonné avec joie. Il se comparait aux déchiqueteurs de la compagnie. Rien ne lui résistait.

D'un beau geste, il a ouvert le livre. À la bonne page. Les autres étaient attachées par un élastique bleu. Et sur le coup, il n'a pas compris ce qu'il a lu. Les chiffres étaient disparus.

Non. Ils n'avaient pas été effacés. La page était pleine de son écriture. Mais on aurait dit une langue étrangère. Des hiéroglyphes. Des marques sans signification. On lui avait joué un tour.

Le livre, pourtant, était à l'endroit. Tout était intact. Il a ôté l'élastique. Et les autres pages étaient semblables. Intactes, mais illisibles. Pleines de marques étranges, écrites au plomb et de sa propre main.

Nausée subite. Haut-le-cœur. Plus rien.

Quand il a rouvert les yeux, Mme Cortès lui faisait face. Elle fulminait, sa cigarette mal écrasée dans le cendrier. Il était désemparé. Le livre, a-t-il bredouillé, il est devenu illisible. Je ne comprends plus ce qui y est écrit. Regardez. Je ne sais pas ce que ça veut dire.

Il pointait le doigt vers la dernière colonne de droite. Son mouvement était nerveux. Son index dépassait sans cesse les limites du livre. Mme Cortès ne saisissait rien de ce qu'il racontait. Il divaguait. Remettez-vous au travail, a-t-elle ordonné. Ce n'est pas le temps d'être malade. Je ne veux plus en entendre parler.

Millaire était confus. Ses propres chiffres lui échappaient. Ses pages étaient devenues des œuvres abstraites pleines de traits, de courbes et de ronds. Minuscules. Comme un langage inventé, d'une merveilleuse ingéniosité. Mais plus la moindre trace de chiffre.

Sandrine! Elle parviendrait à lui expliquer ce qui se passait. Elle travaillait dans une compagnie pharmaceutique. Il a pris le combiné. Sur le cadran, il a reconnu le dièse et l'astérisque, mais le reste ne lui disait rien.

Il n'avait plus aucun chiffre dans sa tête. Tous partis. Volatilisés, comme du papier déchiqueté. Il ne connaissait plus le numéro de Sandrine. Ni le sien ni celui de la compagnie. Ni même la date. Des empreintes de pigeon avaient envahi le calendrier mural.

Secoué d'angoisse, Millaire s'est levé. Il a enfilé son manteau. L'air aromatisé du printemps le calmerait, l'espace ouvert de la ville, les couleurs primaires. Soulagé, il s'est couché sur un banc. La nausée se résorbait, tout comme l'étrange claustrophobie qui l'avait saisi, juste avant qu'il parte. Le blanc écru des murs, les formes géométriques brunes et orange du tapis, les angles droits des cadres de porte, la moue sévère de Mme Cortès.

Un jeune aux cheveux verts s'est avancé. De la monnaie. Millaire a tressauté. L'argent! Il a fouillé dans ses poches et a ramené une poignée de sous. Ils avaient perdu toute valeur. Les sous ont roulé sur le trottoir.

Millaire s'est enfui. Il ne comprenait plus rien. Que s'était-il passé pendant la nuit? Comment le rêve avait-il pu emporter ses chiffres? Il a marché dans la ville. Sandrine, viens me chercher, marmonnait-il, cela ne va plus du tout. Je ne peux pas t'expliquer. C'est urgent.

Après un temps, il s'est présenté à la compagnie pharmaceutique. La réceptionniste n'a pas voulu le laisser entrer. Mais elle a composé le numéro de Sandrine. Tu ne peux pas venir ici, lui a-t-elle répondu.

C'est une urgence. Non, a-t-elle insisté, je suis au travail, Millaire; j'ai déjà reçu un avertissement. Juste un instant, Sandrine, c'est grave et toi seule peux m'aider.

Elle s'apprêtait à raccrocher. Les chiffres... Quoi, les chiffres, a-t-elle lâché, quels chiffres? Tous. Au complet, ils ont disparu. Elle a ri. Que vas-tu encore inventer?

Ce n'est pas une invention, je ne sais plus compter, je ne suis plus capable de les reconnaître, de les lire, de les dire. On dirait une langue étrangère. Je ne peux plus lire l'heure. Je ne connais même plus ma date de naissance. Comme si tous les chiffres m'avaient été retirés d'un coup.

Tu exagères encore, a-t-elle grondé dans le récepteur. Et puis, c'est fini, Millaire. Je n'en peux plus de tes explications. De tes manies, de tes oublis. Je veux quelqu'un de prévisible! Quelqu'un sur qui je peux compter. Et ce n'est pas toi. Comme ce n'est pas de moi que tu as besoin, mais d'un thérapeute. Fini.

Et elle a raccroché. La réceptionniste a fait une moue à la Cortès, en reprenant le combiné.

L'après-midi tirait à sa fin et Millaire ne savait plus où aller. Après des heures de marche, il est retourné à son appartement. Il s'est assis à sa table de travail et a tenté en vain d'écrire quelques chiffres. Il parvenait sans peine à écrire son nom ou à recopier une phrase du journal. Mais les chiffres lui résistaient. Il faisait des dessins, des formes qui devaient ressembler aux nombres qu'il avait appris, des cercles et des barres, sans qu'aucun chiffre apparaisse. Tout avait été arraché.

Il s'est couché tôt dans l'espoir que la nuit et le sommeil aient un effet réparateur. Le lendemain a commencé comme la veille avait fini. Les résultats ont été décevants. Il n'avait pas rêvé. Les chiffres étaient partis à jamais. Il ne savait plus additionner ni soustraire. La division était devenue une substance étrangère.

Il a reçu un appel de Mme Cortès, qui vociférait des menaces. Le bilan de mai était dû pour l'après-midi. S'il n'arrivait pas sur l'heure, il serait mis à la porte. Un comptable qui rêve est perdu. Millaire a raccroché sans mot dire.

Il est allé voir son médecin, le Dr Carver. Le mécontentement de la secrétaire était à peine voilé. On ne vient pas sans prévenir, a-t-elle déclaré, la main sur le téléphone ; vous devrez attendre. Ça ne fait rien, je ne compte plus.

Son médecin l'a écouté, perplexe. Ça n'existe pas, a-t-il fini par émettre. Je n'ai jamais entendu ça. Il lui a montré des nombres. Millaire a haussé les épaules. Vous simulez, a supposé le Dr Carver. Si vous voulez un billet de médecin, trouvez un autre prétexte. Ensuite, il a essayé d'amener Millaire à prononcer des chiffres à son insu, à glisser subrepticement des quantités dans son discours. Combien de sucre dans votre café? Quel âge encore? Répétez-moi votre adresse. Rien n'y fit. Millaire ne se laissait pas prendre.

De guerre lasse, le Dr Carver lui a prescrit une batterie de tests. Des ultrasons, des résonances magnétiques, des évaluations cérébrales et psychiatriques, des bilans sanguins, des examens de la vue. Millaire a reçu la pile de prescriptions, soulagé. Il n'était plus seul.

La semaine entière fut passée à parcourir les corridors du centre hospitalier universitaire. Ses billets à la main, il interrogeait les infirmières et les préposés pour se repérer dans les dédales de l'édifice. Des maux de tête lui comprimaient le front. Il a avalé des pilules et des liquides nauséabonds. Il s'est dévêtu devant des femmes qui ne le remarquaient pas.

Sandrine avait cessé de lui manquer. Son souvenir s'effaçait. Il parlait à trop de gens, dans les couloirs, pour maintenir intacte son image. En fait, il ne parvenait plus à s'imaginer être en couple.

Son médecin est venu le rejoindre sur un banc face à l'hôpital. Millaire ne supportait plus les longs couloirs et les salles fermées. Les tests se sont tous révélés négatifs, vous ne souffrez de rien d'apparent, a-t-il déclaré, en allumant une cigarette. Ne faites pas la moue. Vous n'avez rien au cortex. Ni ailleurs. Tout est sain.

Millaire était stupéfait. Il avait espéré une intervention miraculeuse qui lui aurait redonné ses nombres, son travail, sa vie, maintenant déchiquetée. Il était un homme fini. Plus jamais de guichet automatique, de téléphone, d'anniversaires et d'adresses. Plus d'achats sans aide. Plus de calcul. Amputé.

Il s'est levé, sans dire adieu. À l'appartement, déjà, il avait éliminé toute présence numérique. Manettes et thermostats avaient été transformés. Mais son anumérie, comme l'avait appelée le Dr Carver, ne se limitait pas à la superficie des chiffres, elle s'étendait jusqu'à leurs effets.

Il avait d'abord acheté un réveil sans chiffres, mais il était vite devenu inutile. Les horaires avaient perdu leur sens. Il se couchait et se levait au hasard, et mangeait au besoin. L'infirmière du centre local de services sociaux le trouvait régulièrement égaré dans ses pensées et ankylosé. Il parlait peu.

L'infirmière, Mme Hawking, l'aidait à payer ses factures et à équilibrer son budget. Elle lui expliquait l'état de ses finances par des pantomimes savantes. Les revenus de Millaire avaient beaucoup diminué. Mme Cortès avait été sévère. La vigilance était de mise.

Mais ses besoins se raréfiaient. Il se détachait du monde, des choses. Ses achats se limitaient à l'indispensable, de quoi se nourrir, se vêtir et se déplacer. Il fuyait les intérieurs, les angles droits des pièces fermées, les formes régulières. La marche était devenue sa principale occupation. Les grands espaces, les parcs, le pas irrégulier du promeneur étourdi.

Quand il n'attendait pas Mme Hawking à l'appartement, il déambulait dans la ville. Il avançait sans s'occuper de son itinéraire, à l'aveugle. Et, à sa grande surprise, il retrouvait toujours son chemin. Lui, autrefois si distrait, ne se perdait plus jamais. Malgré les détours et les arrêts.

Il évitait les contacts humains. Son anumérie l'avait rendu morose. Millaire se sentait en pays étranger, entouré de coutumes qu'il ne comprenait plus. Ses compagnons de fortune discutaient de profits et de résultats sportifs qui accentuaient sa nausée. Il ne buvait pas, ne fumait pas et ne reluquait pas les filles. Il avait appris à mâcher de la gomme pour enterrer la voix de ses voisins.

Un jour, il est entré dans un dépanneur pour s'acheter du chocolat. Il a saisi une tablette, sorti un billet bleu et a attendu la monnaie. La caissière lui a demandé quelque chose. Un nom avec des chiffres. Il a fait oui de la tête, sans comprendre, et il a reçu un billet de loterie. Des chiffres imprimés à la hâte sur du mauvais papier. Il n'avait rien demandé ! Si, si, a répondu la caissière, vous m'avez fait oui de la tête.

Mais je n'avais pas entendu, je n'en veux pas, je ne sais pas à quoi ça sert. La caissière a maugréé. Ah non ! Je ne peux pas le reprendre, je l'ai fait sortir pour vous, vous l'avez payé. C'est tout. Il est à vous. Confus, Millaire a mis le billet dans la poche intérieure de sa veste. Une énigme de plus. Il ne retournerait plus jamais à ce dépanneur.

Ses journées se terminaient souvent sur un banc dans son parc favori, à suivre le vol des oiseaux. La vitesse d'exécution des écureuils le fascinait aussi, et leurs gestes quand ils décortiquaient une arachide. Des heures pouvaient passer avant qu'il ne reprenne vie. Des heures entières décrochées de la ville et de son rythme. Il n'était plus misérable. Au début, sa perte avait semblé immense, une vie entière saccagée par une disparition subite. Et maintenant qu'il s'était éloigné de la rive, un calme sans précédent l'avait envahi.

Il se lançait parfois dans de longs soliloques. Contre le matérialisme ambiant. Contre la société de consommation, l'esclavagisme du temps, la logique du profit, des budgets, de l'argent. C'était la faute aux chiffres, à leur omniprésence dans notre vie. Les ordinateurs, les communications, le cardinal, l'ordinal, le digital. On le traitait d'anarchiste. On hésitait à lui adresser la parole. L'été tirait à sa fin.

Il retournait de moins en moins à son appartement. La nuit le rattrapait souvent endormi sur son banc, ses souliers comme oreiller, le col de sa veste relevé. Le matin, parfois, il voyait passer Mme Cortès qui ne le reconnaissait pas. Son pas déchiquetait le sol.

Le matin surtout, il se sentait étourdi. Il restait assis, décroché. Il ne lisait plus les journaux. La poésie, par contre, occupait ses loisirs. Il avait découvert un café qui faisait office de librairie d'occasion. Il y était entré pour une tisane, s'était assis à l'écart et avait saisi le premier livre à sa portée. Une maison d'édition au nom fragile, un auteur effacé, des textes brefs. Il l'avait lu d'une traite, comme on aspire.

Il était vite devenu un habitué. Il dilapidait son capital en fascicules et plaquettes. Il s'assoyait pour en prendre connaissance et repartait son butin en poche. La libraire lui faisait des rabais. Elle s'appelait Lycia. Il rapportait les livres après quelques jours, à peine marqués par sa lecture, et elle les échangeait à peu de frais. Curieuse, elle a demandé d'où lui venait cet attrait pour la poésie.

La disparition des chiffres a laissé un vide que la poésie comble, a-t-il répondu. Il les apprenait par cœur, sans même s'efforcer. Il n'avait même pas à les lire à voix haute. Un simple regard suffisait. Tous les livres ? a-t-elle demandé, incrédule.

Tous. C'est la seule chose qui me réconforte. Les poèmes me remplissent de vie. Ils me font oublier le reste. Il lui a expliqué son anumérie. Sa mésaventure.

Lycia est allé choisir un livre, dans l'arrière-boutique. Millaire l'a pris dans ses mains, il a parcouru les pages rapidement et en a récité les vers. Dans l'ordre, puis le désordre. Lycia a recommencé le test, avec le même résultat. Millaire retenait tout, comme une tablette de cire. Lycia était subjuguée. Le second livre était son propre recueil. Millaire avait récité ses poèmes, qui ne seraient plus jamais les mêmes.

Un midi qu'il quittait la librairie, un livre en main, des mots plein la bouche, il a entendu crier. Monsieur ! monsieur ! disait la voix. Oui, vous, monsieur ! Ne partez pas… Il s'est retourné pour identifier l'indésirable. C'était une femme.

Enfin, je vous retrouve. Vous êtes là. Merci.

Il a reconnu la caissière du dépanneur. Qu'est-ce qu'elle lui voulait ? Elle a expliqué, à bout de souffle : je vous ai cherché partout. Depuis le temps. Vous ne devez pas savoir. Avez-vous toujours le billet de loterie ? Celui que je vous ai vendu et que vous ne vouliez pas. Cherchez.

Millaire était irrité. Mme Cortès était la dernière à lui avoir parlé sur ce ton. Il est reparti sans lui répondre. Elle l'a poursuivi. Ne me touchez pas, l'a-t-il avertie, en se dégageant.

Vous ne comprenez pas. Vous avez le billet gagnant. Le billet gagnant! Je vous ai attendu les deux derniers mois. Vous n'êtes jamais reparu.

Je ne veux pas d'argent. Il a fouillé dans la poche intérieure de sa veste et a ressorti un morceau de papier chiffonné, sale, déchiré aux pliures. Il le lui a jeté au visage. Et il a repris sa lecture. Une page où quelques mots à peine étaient déposés.

Dieu merci, vous l'avez toujours. Vous ne comprenez pas, a insisté la caissière. On vous recherche depuis deux mois. Vous avez gagné le gros lot.

Sept millions trois cent quatre-vingt-dix-huit mille deux cent cinquante-trois dollars.

Millaire s'est immobilisé, étonné par l'urgence des sons émis. La dame lui a remis son billet, les larmes aux yeux. Elle le pressait de l'échanger. Sa vie ne serait plus jamais la même.

Lycia. Elle saurait lui expliquer. Il est retourné à la librairie. Quelques lecteurs étaient attablés. Il lui a montré le billet. Elle a ri. Il devait se tromper. La caissière divaguait sûrement. De bonne grâce, elle a accepté de l'aider. Au téléphone, un commis a confirmé les dires de Millaire. Il était millionnaire.

Une fortune! Tu te rends compte? Millaire, tu es riche!

Il aurait voulu se réjouir avec Lycia, qui riait aux éclats, mais la seule pensée du billet lui rappelait sa nausée. Il se sentait démuni. Des larmes ont coulé. Seul. Il est retourné à son livre, les yeux rougis. Les lignes roulaient comme une mer.

Viens, a murmuré Lycia. Je ne rirai plus. Mais c'est inouï. Comprends-tu ? Tu es riche ! Il faut rire. Plus aucun souci. J'oubliais. Prépare-toi, une limousine doit venir te chercher. Le commis n'espérait plus ton appel. On t'attend. C'est merveilleux.

Au bureau des loteries, les journalistes se sont rués sur Millaire. On pointait sur lui des microphones, des caméras, des lumières aveuglantes. Il a refusé de répondre. Lycia a pris la relève. Elle a expliqué qui était Millaire, son désintérêt pour l'argent, les nombres, sa vie d'itinérant. Elle a dû justifier sa présence. La librairie. On ne la croyait qu'à moitié.

Le commis est venu les secourir. Il a troqué le billet contre un chèque. Bleu-gris. Le photographe officiel a immortalisé la scène. Millaire ne souriait pas. On leur a permis de se sauver par l'arrière. Il a déposé le magot dans son compte d'épargne, devant des préposés stupéfaits.

Il n'est pas reparti les mains vides. Lycia l'a convaincu de remplir un sac. Des liasses de toutes les couleurs, attachées par des élastiques. Millaire a reculé, ébranlé par sa nausée. Il a pensé à Mme Cortès, aux déchiqueteurs. Lycia lui a mis des billets dans les poches. Il pouvait s'acheter le monde. Il ne désirait rien.

Ou si peu. Millaire a attendu dans la librairie pendant que Lycia faisait sa tournée. Elle est revenue les bras chargés de recueils. Des livres d'artistes, des poètes étrangers, des éditions numérotées. La table du fond débordait de tirages limités. Il en a saisi quelques exemplaires. Il a signé des chèques en blanc. Tout ce que tu veux, a-t-il offert à Lycia. Il a rougi, puis quitté précipitamment la librairie.

Le lendemain, sa photo faisait la une de tous les journaux, accompagnée d'articles suspicieux. Comment croire une telle histoire ? Que cachait l'anumérie ? Dans le parc, on ne le laissait pas tranquille. Tous désiraient leur part. Les mains étaient tendues.

Il a voulu se réfugier à la librairie, mais des journalistes l'attendaient à la porte, magnétophones à la main. Il en allait de même à l'appartement. On l'a pourchassé. Toute la journée, il a longé les murs, fréquenté des rues peu achalandées et tenu sa tête baissée. Le soir, il a loué une chambre dans un hôtel sans vie. La poignée de billets qu'il a déposée sur le comptoir lui a ouvert les portes de la suite, au dernier étage.

Il a passé plusieurs semaines, isolé dans son refuge. La raideur des lieux le rendait malade, les angles prononcés des murs. Il se tenait à la fenêtre, la tête sortie, les bras ballants. À la télévision, on multipliait les reportages sur son cas. Mme Hawking, l'infirmière, a prononcé quelques phrases. Mme Cortès a raconté sa dernière journée au travail. Sa photo de Sandrine a été montrée. Même Lycia est apparue pour exprimer ses inquiétudes. Où était Millaire ? Son anumérie était devenue célèbre. Des psychologues étaient interviewés, des mathématiciens. On le recherchait. La librairie était un lieu couru, où on faisait des affaires d'or. Personne ne lisait, la clameur effaçait tout.

Le contact avec les livres a commencé à lui manquer. Millaire s'est mis à sortir à la faveur de la nuit. Il fréquentait les grandes librairies, pleines de volumes aux couleurs reliées. Ses visites le laissaient contrarié. Les anthologies le rebutaient, avec leur table des matières. Les appels de note surtout le démontaient. Les livres lui tombaient des mains.

Dépité, il se sauvait sans rien acheter. Il déambulait en récitant les vers de Lycia. Des chrysalides translucides. Il n'observait plus les feux de signalisation. Les klaxons résonnaient aux intersections. Son irritation croissait à vue d'œil.

Les vers perdaient graduellement de leur effet. La magie avait résidé dans leur nouveauté. Elle s'amenuisait. Millaire avait cru se dégager de son rêve, mais les rimes fondaient sous sa langue sans apporter de réconfort.

Il ne dormait plus. Sa fortune avait éveillé des images qui le hantaient dès que ses paupières tombaient. Le parcours des étoiles calmait ses inquiétudes. La courbe gracieuse des satellites. Les premières lignes de l'aube.

Lycia, a-t-il fini par se convaincre, l'aiderait. Il n'était pas retourné à la librairie depuis les événements. Il s'en est approché peu avant la fermeture. Il avait rabattu sa casquette sur son front. L'endroit était achalandé. Sans plus. Les journalistes avaient disparu. Des nervures de fumée l'ont enveloppé dès son entrée.

La table au fond était libre. La sienne. Près des livres. Il s'est avancé, en précipitant ses gestes. Il craignait les regards. Sur la table, un carton disait que c'était réservé. Et une voix l'a répété à tue-tête : on ne s'assoit pas là. Vous ne savez pas lire ?

Millaire s'est retourné. Une nouvelle employée, cigarette au bec, tablier autour des hanches. Étourdi. Millaire a reculé. Sa main à sa bouche. Le souffle coupé. Où est Lycia ? Partie.

Il a fui par la porte arrière. L'employée l'a suivi. Attendez, ne partez pas ! Je vous reconnais. La table est pour vous, a-t-elle crié. Lycia est partie à votre recherche. Mais il n'écoutait plus.

Millaire s'est mis à courir. Sans regarder. Le plus loin possible. Une nuit de mouvements, de trébuchements et de trous. Aucune voix ne parvenait à le retenir. Aucun geste.

Incapable de se perdre, il est retourné à son parc. Penaud. Son banc était libre. Seul. Il s'est couché. Les étoiles dessinaient une figure harmonieuse. Le sommeil l'a gagné. Ses ongles marquaient le bois du banc.

À l'aube, une légère secousse l'a réveillé. Un homme respirait. Grand comme un bouleau et tout aussi maigre. Son teint, une écorce blanche. Son pantalon cendré était froissé. Il fixait du regard un point éloigné. J'aime ce moment de la journée, a-t-il affirmé, la rosée est une voie lactée.

Millaire s'est relevé. Il ne voulait rien entendre. L'homme l'a retenu, les longs doigts de sa main sur son épaule. Il n'avait aucune force, Millaire aurait pu se dégager sans effort. Il est resté.

Je sais qui vous êtes, je suis venu pour vous. N'ayez crainte, votre fortune ne m'intéresse pas. Mais vous pouvez m'aider. Vous êtes le seul. L'anumérie. C'est la pièce qui me manquait. Il s'est arrêté, ému.

Dans un café, devant un déjeuner continental, l'homme a ouvert ses mains. Connaissez-vous la conjecture Ishaguro-Kasansakis ? Un problème vieux comme le siècle. Un joyau aussi beau qu'impénétrable. Rédigée par deux mathématiciens quelque peu mystiques, qui croyaient aux nombres implicites et à leur part dans le calcul. Une utopie, à l'époque ; maintenant, un passage obligé, le cœur des nouvelles mathématiques. Elles ne s'arrêtent pas aux nombres. Au contraire, ils les retiennent. Des carcans. Vous, entre tous, devez comprendre ce fait. Mais comment prouver cette conjecture ? Quel langage inventer pour faire jaillir la lumière ? Pour nous débarrasser de ces ombres platoniciennes qui masquent la vérité ?

Les plus grands mathématiciens s'y sont cassé les dents, a-t-il confessé, et j'ai passé la moitié de ma vie active à la confirmer, mais en vain. La solution m'échappait. Et j'étais encore enchaîné à ma caverne, jusqu'à ce que je vous voie à la télévision. Une révélation. À l'instant même. Ce qui n'était qu'une hypothèse devenait, avec vous, une expérience. De la vie. Et votre billet gagnant, une preuve. Une issue vers la lumière.

Les nombres ne sont pas des choses en soi. Ils le sont devenus par habitude. Nous les avons solidifiés. Au point d'être obnubilés. Égarés. Nous avons oublié. Regardez autour de vous.

Les mathématiques sont les fondations de notre monde. Partout, cachées dans la disposition des rues, de la ville, la construction des automobiles, les feux de circulation. La géométrie tridimensionnelle de l'écran de télévision. Tout est calcul. Leur empreinte est omniprésente. De là votre nausée.

Nous apprenons tous les mathématiques. Tous. Comme lire et écrire. Une nécessité. Mais cela crée l'impression qu'elles se résument à une question de chiffres. C'est faux. L'arithmétique n'est que la pointe de l'iceberg.

La matérialité des nombres est une illusion. Un danger. Il faut dissoudre la chose. Libérer pour redonner du mouvement. Les mathématiques ne se limitent pas aux nombres. Il y a plus. C'est le sens de la conjecture. Elle permet de poser une transcendance aux nombres. De les inscrire comme principe d'une identité qui dépasse notre contingence.

Je me nomme Kyle.

Millaire était assommé. Il tenait ses mains proches de son visage. Sa nausée durcissait ses traits. Kyle a sorti de sa serviette une liasse de feuilles remplies de dessins minuscules et illisibles. Ne craignez rien, dit-il. Je veux vous montrer. Examinez ces feuilles. Sans chercher à comprendre. Prenez-les. Je ne cherche pas à vous humilier.

Millaire a examiné les feuilles, des lignes et des lignes de symboles inconnus. D'une harmonie discrète. Le déplacement d'un myriapode.

Là, ici. Comme une maille à l'envers ! Kyle a sursauté. Où ?

Sur celle-ci, en plein centre. Là. Oui. Ça résiste. Une rature. L'harmonie du dessin est rompue à cet endroit précis.

Kyle a levé les yeux, ses épaules ouvertes sur l'infini. Je le savais. Il ne pouvait en être autrement. L'erreur, je l'ai glissée exprès. Il n'y en a qu'une. Seuls quelques mathématiciens pouvaient la trouver. Dans le monde entier. Et vous.

Le rire de Kyle. Oui, vous. Malgré tout. Vous n'avez rien perdu. Vous avez dépassé les nombres et retrouvé leur essence. Tout ce temps, je regardais dans la mauvaise direction. L'au-delà des nombres est en soi. Et pas ailleurs. Les chiffres sont d'une substance poétique. Un rêve surgit et plus rien n'est pareil.

Ils sont sortis du café. Pour le convaincre, Kyle l'a fait entrer dans une épicerie. Il lui a fait choisir des billets de loterie instantanée. Avec son ongle, il a gratté la surface métallisée des billets. Ils étaient tous gagnants. Vous voyez, les nombres ont disparu, mais leur tonalité vous guide, leur qualité fondamentale. Vous en êtes sorti pour mieux les maîtriser. Le hasard n'a plus d'emprise sur vous. Ils ont laissé les billets sur le comptoir.

Millaire a suivi Kyle à l'université. Son bureau était à hauteur de cime. Des fenêtres ouvertes sur un cimetière. Des vallons. Puis des montagnes de papiers. Des piles penchées comme des falaises. Des feuilles sur le sol, les tables, l'armoire. Des chiffres partout, des symboles inconnus, des papillons endormis. Jamais aucun déchiqueteur n'était passé par là. L'air était sain.

Millaire s'est assis à terre, entouré de calculs. Sur les murs, des tablettes comptables archaïques, des bouliers en ivoire, des calendriers mayas ornés de gnomes aux têtes animales. Dans un écrin vitré, des tessères numériques romaines, des cordelettes nouées.

Kyle a suivi un sentier sinueux jusqu'à son pupitre. Cela, a-t-il annoncé d'un geste de la main, est rendu caduc par votre arrivée. Toutes ces années de recherche réduites à un seul mot, votre nom. Votre présence ici. Je faisais fausse route. Maintenant, je vous ai. Écoutez-moi.

Millaire lui a prêté une oreille distraite. Il n'était plus malade. Les chiffres n'expliquaient pas tout. Son déficit était annulé. Tout son être s'est apaisé. Mais la nausée se maintenait.

Kyle produisait un flot ininterrompu de paroles. Des souvenirs, des algorithmes. Je ne vous quitte plus, confiait-il entre deux intégrales, j'apprendrai plus en un mois à vous suivre qu'en toute une vie à griffonner. Je me sens revivre. Ishaguro-Kasansakis avait été une illumination. J'y ai consacré ma vie. Maintenant, j'ai la réponse à la portée de la main.

Je dois une fière chandelle à Lycia. Je ne vous aurais jamais retrouvé sans elle. Ne fermez pas les yeux. Qui d'autre m'aurait indiqué le parc, votre banc ? Elle a préféré rester derrière. Nous vous avons cherché tous les soirs, ces dernières semaines.

Kyle a montré du doigt les liasses de feuilles sur son bureau. Le dernier état de sa recherche. Des pages et des pages de calculs. Millaire a contemplé le travail du mathématicien. Des arabesques, des blocs compacts, une obsession.

Les dessins faits au plomb comportaient des erreurs. L'harmonie était rompue. Millaire a ramassé les feuilles, un stylo et il les a corrigées. Il dégageait les nombres de leur enveloppe pour les redresser. Sa propre témérité l'étonnait. Il laissait aller ses doigts sur les feuilles quadrillées. Sans comprendre, sans savoir, comme un sourd pendant une dictée.

Il a noirci des pages entières de son écriture singulière. Des rangées de symboles. Une langue étrangère, indéfiniment étrangère.

Kyle s'est avancé. Ses yeux ne clignaient plus. Il a vacillé. Sa peau était un parchemin desséché. L'étonnement striait son front. Faibles bruits de fibres.

Il n'y a plus de conjecture Ishaguro-Kasansakis, a-t-il énoncé. C'est dorénavant une certitude. Elle portera votre nom. Kyle s'est assis, des papiers froissés dans ses mains. Il a succombé au sommeil.

Les travaux de Kyle avaient rappelé à Millaire son rêve. Une version appauvrie, quelques traits à peine, mais une présence. Ressentie comme un poème. L'envie de poursuivre ses dessins l'a saisi. L'ouverture était là, enfouie entre les lignes de la conjecture.

Au bas d'une armoire, un coffret de bois l'attendait. Du papier lourd et granuleux. Fait d'accidents et de fibres. Une surface gondolée. Des marges irrégulières. Une bouteille d'encre de Chine et deux pinceaux aux poils noirs, séparés dans des compartiments. Il n'avait jamais rien vu d'aussi beau.

Accroupi, les genoux au sol, il s'est attelé à une calligraphie onctueuse. Une écriture de la déraison. Impulsive. Étrangère. Mais si proche de son rêve. Des traits brumeux, des ovales léchés, des fibrilles.

Sans relâche, il a travaillé. Comme le pinceau déposait des traits larges et baveux sur le papier, sa nausée s'évanouissait. Du noir de rêve. Des traces de rien. Incisions d'encre. Si proches.

Au crépuscule, Millaire avait épuisé le papier du coffret. Des pages entières de caractères humides séchaient sur les meubles. Il reconnaissait des lettres, tirées d'un alphabet préservé *in extremis*, et des mots dissimulés dans l'épaisseur des bandes grises de cette encre moite. Une surface à peine effleurée.

C'était la voie à suivre. Les traces qu'il avait laissées à travers les crevasses et gondolements du papier n'étaient déjà plus des chiffres, sans être le commencement de rien d'autre.

Millaire a refermé le coffret. Il a griffonné un intense merci sur un carnet bleu. Kyle pouvait garder ses derniers dessins, s'ils n'étaient pas pure foutaise. Son rêve était un nouveau langage. Il venait d'en explorer les bornes. Un nouveau monde. En soi. Kyle avait eu raison. Sa dette n'avait pas de limites. Mais il devait partir. Travailler le papier, calligraphier l'anumérie.

Pinceaux en main, il est descendu de la montagne. Son pas était léger. Il ne savait pas que la peau de son visage était devenue rayonnante. Il s'est arrêté à la librairie. Lycia dormait à une table. Son manteau traînait à ses pieds. Le poing contre la vitre, Millaire a demandé qu'on ouvre.

Tessons

à Michel Balat

L'homme était assis. Il n'était plus certain qu'il attendait. Ses bras se faisaient lourds et reposaient de chaque côté de son corps. Il était comateux, affaissé sur le banc, comme une dépouille oubliée là, sans raison. Son propre nom ne lui disait plus rien.

Son mal de tête empirait et il s'était arrêté à cet endroit du musée sans savoir ce qui était accroché aux murs, attiré d'abord par les deux gigantesques Delaunay. Les cercles de leurs toiles ne lui avaient pas fait oublier sa peine, mais au contraire avaient augmenté sa migraine. Il n'avait pas eu la force de les examiner trop longtemps. Il avait franchi la porte de la salle où il se reposait maintenant, sans y penser. Voyageur épuisé, attiré seulement par le confort du banc et la blancheur du lieu. Les murs étaient recouverts de petits cadres rouges et blancs, alignés les uns contre les autres et qui occupaient toute la place. Pas un seul espace des murs n'était libre.

Les grandes fenêtres, qui partaient du sol de marbre blanc et montaient jusqu'au plafond écru, laissaient filtrer à travers leurs stores, translucides comme des linceuls, une lumière diffuse d'une grande pâleur. La pièce, en forme de coude et avec des portes aux deux extrémités, contenait un sofa recouvert d'un cuir pâle, placé en plein milieu, entre deux colonnes de marbre. L'homme respirait lourdement. Il regardait devant lui, sans cligner des yeux. Il n'aurait pas voulu être ailleurs, il laissait passer le temps, espérant retrouver un peu d'énergie dans l'immobilité. Il cherchait à se souvenir de choses qui fuyaient. Il les sentait le remuer, profondément l'explorer, tout en restant inaccessibles. Il ne cessait de penser à l'accident d'auto. À la disparition de son ami.

Il s'était rendu au Musée d'art moderne de la ville de Paris, attiré par l'exposition consacrée à André Derain, et, après une brève visite, s'était mis à flâner dans les salles. Il n'avait presque rien retenu de la rétrospective, sauf les quelques toiles consacrées à Collioure, près de Canet et de Perpignan. Le centre du monde.

La visite l'avait épuisé. Trop de touristes endimanchés s'affairaient devant les tableaux, parlant, respirant, jouant du coude. Il fallait se battre pour chaque centimètre de terrain, chaque mètre carré de toile. Il avait marché vite, oppressé à la fois par la foule et ce sentiment d'abandon qui le poursuivait depuis son arrivée à Paris, une solitude qu'il n'avait pas choisie mais à laquelle il devait maintenant s'habituer. Il avait laissé Derain à son public et avait erré jusqu'à cette salle où il s'était écrasé, exténué, les larmes aux yeux, le cou rigide, les mollets endoloris.

L'œuvre exposée était étrange, composée d'une quantité impressionnante de cadres, tous identiques, faits d'une bordure noire, d'un passe-partout rouge et d'une feuille blanche segmentée en cases d'inégales grandeurs, dans lesquelles on devinait une écriture, impossible à déchiffrer à distance. De temps en temps, un cadre contenait une photographie en noir et blanc : des camions, des façades d'usine ou des parcs, des scènes de famille d'une autre époque. Et c'était tout. Un bon millier de cadres qui répétaient tous la même formule. Combien de temps avait été requis pour composer une telle œuvre ? Dix-huit mois ? Ce chiffre l'attirait comme tous les multiples de trois.

L'homme n'avait pas la force de se lever, cloué à son banc comme à un lit sur lequel il aurait été sanglé. À l'entrée de la salle, un long texte décrivait l'œuvre, mais il ne s'était pas donné la peine de le parcourir. Et maintenant. Ce n'était pas de la paresse, mais une certaine fatigue mentale. L'absence de son ami et l'accident d'auto lui pesaient. Il aurait voulu être ailleurs. Il aurait dû tout annuler.

Une femme pénétra dans la salle. Le bruit de ses pas sur le sol était clair. Il ne résonnait pas. Elle s'approcha, regardant à peine les murs, et lui adressa doucement la parole. Il eut l'impression qu'ils se connaissaient déjà. Son accent était blanc, comme les murs de la salle, mais avec peut-être un peu de rouge aux commissures des mots.

— Je m'assois.

— Faites, oui. Je me levais.

— Ne partez pas ! Nous serons bien tous les deux sur le banc. La pièce est froide, un peu de chaleur me fera du bien.

— J'ai froid, aussi.

— Moi, j'aime ce lieu, surtout cette pièce. Je m'y sens chez moi.

— C'est la première fois que je viens. Et je vous avoue ne pas comprendre ce qu'on voit sur les murs. Tout cet écrit. Illisible.

— Je viens ici tous les dimanches. J'aime m'asseoir où nous sommes. Je regarde par la fenêtre et je vois le profil de la tour Eiffel. Je sais où je suis.

— Je vous envie. Avant votre arrivée, je ne le savais plus du tout. J'étais perdu dans mes pensées.

— Je me présente, Anne Bravedon.

— Anne… J'en ai connu une, il y a très longtemps. J'avais dix-huit ans.

— Canadien ?

— Québécois. Mais je vis dans le sud de la France depuis quelque temps. Les Pyrénées orientales.

— Et que faites-vous ?

— Ici ? Aujourd'hui ?

— Non, en général. Et puis, vous ne m'avez pas dit votre nom.

— C'est que… vous allez rire. J'ai un trou de mémoire. Je me suis assis ici pour me reposer. J'ai une migraine et elle aurait tout effacé, jusqu'à mon nom…

— Ce n'est pas grave. Un détail. Je peux vous en trouver un, en attendant.

— Un nom ?

— Oui. Juste entre vous et moi. Marc. Laissez-moi vous appeler Marc. J'ai toujours aimé ce nom.

— Marc. J'aime bien.

— Oui, c'est simple et puis clair, comme la lumière qui inonde cette pièce.

Pendant qu'ils parlaient, l'homme ne pouvait s'empêcher de compter les cadres. Il ne retenait pas les chiffres, ne tentait pas de faire des vingtaines ou des trentaines, mais additionnait comme on récite un chapelet, sans croire vraiment aux mots utilisés, sans se soucier de leur valeur. Il y avait quelque chose de rassurant dans l'opération, un rythme qui calmait. Son attention dérivait facilement. Il était confus, remplaçant ses mots par des souvenirs et des fragments de vie. Ces pensées l'agitaient.

La femme à ses côtés était immobile. Elle, au moins, paraissait paisible. Elle lui ressemblait, il la trouvait belle. Son chemisier était d'une soie fine et opaque, à travers laquelle il devinait facilement son soutien-gorge, très ouvert et qui supportait des seins aux courbes assoupies. Il devait se forcer pour ne pas trop la regarder. Sa jupe était courte, comme le voulait la mode. Son visage était effilé, ses yeux bruns et ses cheveux châtains. Elle s'était approchée de lui, pendant qu'il errait entre les cadres et ses pensées.

— Cela ne va pas ?

— Hum.

— Vous souffrez.

— Je ne sais pas. Engourdi serait plus juste.

— Dites-moi quelque chose, cela vous réchauffera. J'aime qu'on me raconte des histoires.

— C'est que je n'en ai pas.

— Vous trouverez sûrement. On en a tous au moins une.

— Et un rêve ?

— Ce sera un bon début. Mais je le veux plein, avec de la chair autour.

— Ne trouvez-vous pas les cadres de cette pièce étranges ? Je n'arrive pas à les compter, ni même à lire ce qu'ils racontent.

— Ne vous fatiguez pas. Il y en a 1400. Ils représentent un siècle d'écriture.

— Cent ans ! Des jours à perte de vue... Pourtant, parfois, les secondes sont déterminantes.

— Expliquez-vous.

L'homme avait remarqué le rouge qui montait aux joues de sa compagne. Anne n'avait plus aussi froid. Elle ne s'était pas éloignée mais, au contraire, son bras touchait maintenant le sien. Elle tenait ses jambes croisées, que sa petite jupe révélait presque en entier. Sa peau était blanche, fine comme de la soie. Il était intrigué, il commençait à être attiré par ce corps si proche, si familier aussi.

— Je vous trouve...

— Non ! On ne détourne pas la conversation.

— Vous avoir ici, à côté de moi, me donne des forces et le goût de parler. J'étais abattu quand vous êtes entrée. Et maintenant…

— Tantôt, si vous le voulez, nous irons danser.

— Danser ? Enfin, non. Je ne sais pas. Peut-être, oui.

Il eut le goût, tout à coup, de se lever et d'oublier son mal de tête. Il irait voir les cadres de près. Il regarderait les photographies, tenterait de déchiffrer l'écriture qui remplissait les espaces clairement définis des fiches. Un siècle. Dix-huit mois. Il passerait même à la prochaine salle. Il ne voulait pas revenir sur ses pas, retourner aux Delaunay. Non, il voulait avancer, tourner à gauche et explorer de nouveaux lieux. Comme il prenait appui sur ses bras, Anne posa délicatement sa main sur sa cuisse. Elle le retenait.

— Ne partez pas, ce serait une fuite.

Il la regarda, étonné. Il se sentait transparent à son regard. Son énergie le quitta tout aussi brusquement qu'elle était apparue. Il prit sa main dans les siennes, l'approcha de son visage, pour en sentir le parfum, et la lui remit d'un geste lent. Il baissa les yeux. Son odeur était creuse.

— Je suis venu à Paris pour rencontrer quelqu'un qui n'a pas pu venir.

— Un ami ?

— Oui. Nous nous étions donné rendez-vous. Et il n'est pas là. J'aurais dû annuler mon voyage, rester là où j'étais. Mais j'ai choisi de respecter ma part de l'aventure. Depuis, j'erre dans Paris. Je me déplace d'un banc à l'autre, au Jardin des tuileries, dans les musées. Je m'affaisse à la moindre occasion. Quelquefois même pour dormir. Et au cinéma, par esprit de contradiction, je ne tiens plus en place. Je me lève, je retourne au soleil. Je traverse les rues sans regarder, comme si le mieux qui pouvait m'arriver était de me faire frapper par un camion.

Il s'était mis à parler et une chaleur l'avait envahi. Provenait-elle du sourire d'Anne ou était-ce le soleil qui dardait avec plus d'intensité les cloisons opaques des fenêtres ? Quoi qu'il en soit, le blanc de la salle avait changé de qualité. Il était plus net. Les cadres semblaient aussi moins sévères et le noir de leur écriture s'était affadi. Il ferma les yeux.

— C'était mon meilleur ami. Nous avions presque tout partagé, nos confidences, nos joies, tout. Nous nous étions rencontrés au début de l'université, il y a maintenant dix-huit ans. Nous étions au bureau du registraire et tenions en main la même liste de cours. Plus surprenant encore, nous avions choisi les mêmes, et dans le même ordre. Nous avions réagi de la même façon, pensé la même chose, coché les mêmes petites cases. La coïncidence était merveilleuse. Il n'en fallait pas plus pour que nous ne nous lâchions plus jamais. À parler franchement, je ne me souviens même plus de ma vie avant d'avoir rencontré Kurt.

— Les ruptures sont toujours douloureuses.

— Anne, regardez. Sur la photographie là-bas, dans le cadre tout à côté de la porte, on peut voir deux petites filles. Elles se tiennent par la main, devant une vieille voiture décapotable ; elles sourient à l'objectif, un peu timides. On sent à leur proximité, à la façon dont leurs cuisses sont collées, dont les tissus de leurs vêtements se répondent, les têtes qui se penchent subrepticement, le regard qui n'est pas tout entier consacré au photographe mais, par un étrange déplacement de la pupille, dirigé vers l'autre ; à tout cela, on comprend qu'elles sont plus que des amies, mais des confidentes, des sœurs de lien et non de sang.

— Pourquoi n'est-il pas venu ?

— Parce qu'il est mort. Je viens de l'apprendre et notre réunion à Paris est ratée. Nous voulions fêter le dix-huitième anniversaire de notre amitié. Dix-huit ans, la moitié de notre âge. Vous comprenez ?

Les larmes lui montaient aux yeux. Des larmes d'un blanc laiteux. Il n'avait jamais pensé que la mort aurait pu se lover entre Kurt et lui. Le voyage à Paris, conçu dans la joie, le plaisir de se retrouver après de longs mois d'absence, ne pouvait plus se dérouler que dans le deuil, le silence. Marc ne l'avait pas annulé, il n'en avait pas été capable. Il voulait retourner à Paris, visiter la ville autrement que dans son imagination, loger dans le XVIIIe arrondissement, longer les boulevards, se noyer dans la foule. Son voyage serait un mémorial.

Mais les rues sentaient l'urine, l'essence et l'odeur lourde du sang sur les pavés. Les films qu'il s'était promis d'aller voir étaient fades et il s'était comporté dans les salles comme un spectre déplacé. Aussi avait-il commencé à faire les musées. Le Centre Georges-Pompidou et ses expositions sur van de Woestijne et Brancusi, le Petit Palais et sa rétrospective sur Nicolas Poussin, les galeries du Ve arrondissement, où il avait retrouvé des photographies de Joel-Peter Witkin. Un véritable cauchemar. Il avait beaucoup marché, pensant dissiper son mal dans le mouvement. Les résultats avaient été médiocres. Kurt n'était plus là et ce manque le rattrapait sans cesse.

Anne l'avait écouté sans se retirer. Elle avait saisi sa main droite et l'avait tenue quelque temps entre les siennes. Elle la déposa ensuite sur sa propre cuisse, comme si le contact de sa peau pouvait adoucir sa peine. Elle demanda la suite. Il regarda tout autour de lui.

La salle était vide. Pas un seul autre visiteur n'y était entré depuis qu'Anne s'était assise à ses côtés. Le silence était complet, nullement brisé par le claquement des talons sur le marbre. Était-ce les larmes qui brouillaient toujours sa vue ou l'accumulation de fatigue, mais les cadres d'en haut, proches des fenêtres, paraissaient de moins en moins présents, comme si l'écriture qu'ils contenaient s'était effacée. Il se passa la main sur le front. Il s'attendait à récolter un peu de sueur, mais sa peau était de glace. Sa migraine s'était localisée à un endroit précis, sur la tempe gauche, celle qui est proche de la fenêtre quand on est au volant.

— J'ai compris en marchant que j'en voulais à Kurt. Il n'avait pas le droit de mourir. Surtout sans m'avertir. Je n'ai appris sa mort que par la suite. On m'avait oublié.

— Oui.

— Ceux qui se sont occupés du corps ne savaient pas où j'étais.

— Ils ne le savent peut-être toujours pas.

— Je n'avais jamais pensé que l'un de nous ne serait pas informé immédiatement de la mort de l'autre. C'était tellement évident que je n'avais rien prévu. Et maintenant, il est trop tard. Je n'ai pas pu m'occuper de son corps. Voir son visage une dernière fois. En graver le souvenir dans ma mémoire. Tout ce qu'il me reste, c'est le souvenir de son regard. Il est mort et je ne sais même pas où il gît. Paris ne règle rien.

— C'est une question de temps.

— Je ne sais pas. Je croyais que je serais plus proche de lui, mais la distance qui nous sépare ne se franchit pas.

— Il faut être patient. Croyez-moi, les signes ne se ressemblent jamais. Il y a des événements qu'on ne parvient pas à comprendre et qui, malgré tout, ne cessent de vivre en nous. Et on se met à griffonner. À faire semblant d'écrire, à mettre ensemble de fausses lettres et à remplir des pages et des pages de ces lettres, de cette écriture blanche qui ne rime à rien.

Anne se tut. Elle écarta délicatement ses cuisses et la main de Marc se trouva un peu plus libre. Son premier réflexe fut de la retirer. Elle la tint en place. Le contact d'une paume contre sa peau la rassurait, expliqua-t-elle.

Cette familiarité le surprenait. Sa main avait laissé sur la cuisse d'Anne des marques de doigts, longues et sinueuses. Il avait dû serrer très fort et elle n'avait rien dit.

— N'avez-vous pas remarqué la lumière de la salle ? Le blanc semble presque transparent.

— C'est souvent comme ça, en fin d'après-midi.

— Tout à l'heure, je parvenais à discerner le contenu des cadres, toutes ces petites cases remplies d'une écriture noire. Et maintenant, je parviens à peine à retrouver les cases. Toutes les rangées du haut, regardez, semblent s'être évanouies.

— Quand la lumière du soleil frappe les stores, il se produit une étrange radiation, vous avez raison. Mais, moi, je continue à bien les voir, ces cadres. À vrai dire, je ne parviens pas à m'enlever de la tête leur contenu.

— Vous ne remarquez donc rien?

— Non. Je reste fascinée par les photographies. La jeune fille là-bas qui sourit à la caméra, la maison avec des fenêtres aplaties, le petit café.

Marc regardait les murs. Ils se transformaient d'une façon imperceptible. S'il les regardait de face, ils semblaient intacts, concrets; c'est du coin de l'œil, de biais, qu'ils perdaient toute matérialité. Son rêve le fit rougir.

— Le pire dans la mort de Kurt est qu'elle m'avait été annoncée. J'en ai été témoin, au moment même où elle se produisait. Je l'ai vue en rêve.

— Son accident?

— Pas exactement. Enfin, si. J'ai rêvé son accident, mais c'était moi qui étais au volant. Je l'ai compris par la suite. Mon dernier souvenir de lui est un rêve croisé.

Marc remit ses bras le long de son corps. Sa migraine étendait ses racines jusqu'à son cou. La douleur à sa tempe gauche l'empêchait de bien voir les cadres.

— Racontez-le.

— Il fait de plus en plus blanc.

— N'y pensez pas.

— Mon rêve.

— Oui.

— D'abord, il ne se passe rien; puis, tout se ramasse et vole en éclats. Le choc est brutal. Il fait nuit. Je suis dans une automobile toute neuve, un petit modèle, d'un rouge foncé à l'intérieur. Je fais du 160 kilomètres à l'heure, parfois plus quand la route est légèrement inclinée. C'est rapide pour le modèle, la pédale de l'accélérateur est enfoncée au plancher, mais il tient bien la route. Je sens pourtant qu'il n'y a plus de marge de manœuvre. Cet élément de danger ne me déplaît pas, au contraire... Je roule depuis le début de l'après-midi, sur des petites routes sinueuses d'abord, puis sur une autoroute à quatre voies, pleine de camions et de coupés sport qui filent à toute allure. Les noms de ville se succèdent, comme un chapelet récité en vitesse. Le paysage est lunaire, avec ses collines basses sans arbres, qui se profilent de chaque côté de la voie, tous ces rochers presque blancs sous les rayons de la lune, qui émergent çà et là quand la terre se raréfie et ne suffit plus à couvrir son squelette. La circulation n'est pas trop dense, juste assez pour permettre de zigzaguer entre les camions et les caravanes beaucoup plus lentes. La chaussée est régulière, sans crevasses ni bosses imprévues. Je peux conduire sans trop porter attention aux détails, me laisser bercer par le bruit régulier du moteur et la musique vaguement répétitive que les haut-parleurs diffusent, violons et violoncelles, un quatuor finlandais aux reprises rythmées. *Apocalyptica*.

— Continuez.

— Tout à coup, des panneaux annoncent un chantier et la disparition imminente de la voie de gauche. On demande de ralentir. Je choisis de maintenir ma vitesse. Je tente de dépasser une rangée de camions qui déjà ralentissent, en formation serrée. C'est une erreur. Je comprends en un instant, et c'est une simple question d'arithmétique, qu'il n'y a pas de place pour tous les dépasser, avant les bornes qui coupent la voie de gauche. Mon auto progresse à la gauche du dernier camion, gagnant graduellement du terrain. Mais le rythme est trop lent. C'est par centimètres que ma petite voiture remonte vers l'avant de la remorque, quand il aurait fallu que ce soient des mètres. Le camion ne fait rien, il ne freine ni n'accélère.

Au moment où la route rétrécit, absorbée par un entonnoir, la voiture fait un ultime effort pour couper le camion et négocier un virage serré dans l'espace laissé ouvert entre le pare-chocs et la première borne du milieu. Il lui manque une dernière poussée. L'espace se referme avant qu'elle soit passée. Et au lieu de poursuivre sa route, l'auto est frappée de plein fouet. Elle fait un tonneau, avant d'être soulevée par sa propre vélocité, et plonge dans le noir.

Voilà.

Marc était essoufflé. L'effort qu'avait requis le récit de son rêve l'avait rendu cireux. Ce rêve, il n'en avait saisi l'importance que plus tard, quand il avait appris la mort de Kurt et qu'on lui avait lu les articles du journal dans lequel les faits de son accident avaient été relatés par le chauffeur du camion. Ce dernier avait vu la petite auto s'avancer, mais n'avait jamais pensé qu'elle persisterait dans son intention de le dépasser avant les bornes. C'était suicidaire et, impuissant, il avait assisté à l'accident. À la dernière seconde, il avait vu la figure du conducteur, les traits tirés par un long cri. Juste avant que son pare-chocs n'emboutisse la portière de droite, son phare avait illuminé l'intérieur de la voiture et, par le rétroviseur, il avait vu le visage de la mort, les yeux déportés sur le côté droit et relevés vers le haut, la langue sortie, les pommettes devenues saillantes et le teint d'une pâleur à hanter les nuits.

Marc avait reconnu son propre rêve. Il avait vécu la mort de son ami. Il en était heureux. Mais, depuis, une migraine avait commencé à lui tenailler la tête, du côté gauche.

Il regarda tout autour de lui. Ce qu'il vit le fit frissonner. Les cadres étaient de plus en plus vides. Même ceux d'en bas avaient commencé à se dérober. L'écriture se désagrégeait, jusqu'à en perdre forme. Il ne restait plus que du blanc souillé dans les petits cadres des fiches. Seules les photographies semblaient intactes.

— Ne les regardez plus.

— Ils se sont vidés au fur et à mesure que je parlais.

— Vous croyez ?

— Vides, je vous dis. Et la lumière est de plus en plus forte, le soleil s'est transformé en un énorme phare.

— N'ayez pas peur.

— Que se passe-t-il ?

— Venez, je connais un endroit où nous serons mieux.

Anne saisit la main de Marc et le força à se lever. Il était lourd, comme un paraplégique, et ses yeux restaient fixés sur les cadres. Elle se mit à le tirer vers l'entrée de la salle, l'incitant à la suivre. Ils iraient danser. Marc ne comprenait pas vraiment ce qu'elle désirait.

Il recherchait un peu de calme, du sommeil. Mais au lieu de le prendre en pitié, Anne l'excitait au mouvement. Près de la porte d'entrée, il voulait s'arrêter pour lire la description de l'œuvre, l'explication de toutes ces fiches au contenu maintenant dissous dans la lumière. Elle ne le laissa pas faire. Tout au plus parvint-il à lire une partie du titre. Il n'eut pas le temps de retrouver le nom de l'artiste, Anne le tirait par le bras.

Ensemble, ils sortirent de la salle et avancèrent presque à la course vers l'escalier du fond. Ils passèrent devant les immenses toiles des Delaunay, montèrent l'escalier sans regarder l'autre gigantesque toile et, essoufflés, lui surtout, la main gauche contre la tempe, s'arrêtèrent devant une porte.

— Ici.

Anne l'ouvrit et y poussa Marc. Elle lui demanda de fermer les yeux, de ne les ouvrir qu'à son ordre. Il obéit. Il entendit la porte se refermer, surpris du silence qui régnait, de la fraîcheur du lieu, de leur isolement. Il n'y avait personne d'autre. Il sentit un bras glisser le long de sa taille et se diriger vers sa gauche. La main souleva délicatement sa chemise, la sortit du pantalon et se glissa tout contre son dos, le pouce appuyé sur sa colonne vertébrale. Il se laissa faire, la sensation était agréable. Elle lui dit de s'immobiliser, le saisit à la taille, par-derrière, et colla son corps contre le sien.

— Vos yeux…

Il vit une toile étonnante, large comme la pièce, un triptyque aux dimensions incroyables. Un Matisse. Les figures sortaient d'un mythe, d'un profond sommeil au fin fond de la conscience, et elles en jaillissaient par une source étrange. L'œuvre s'étendait sous trois coupoles. La première ouvrait la possibilité du mouvement, la seconde l'inscrivait comme fait, mais ce n'est qu'à la troisième que la danse acquérait une expression complète. Une fête du corps et de l'esprit, une libération.

Marc devinait au moins cinq corps de femme, d'un gris léger, sur un fond de rose, de noir et de bleu. Ces femmes n'avaient pas de visage, pas de cheveux, leur tête était ronde et lisse. Elles étaient représentées dans des postures fortes, comme si elles étaient sur le point de sauter. Leur nudité était légère. On reconnaissait leur colonne vertébrale à une ligne qui traversait leur dos. Leurs seins étaient dessinés de façon sommaire, des cercles plus ou moins parfaits, certains même incomplets. Aux deux extrémités, des corps en plein élan semblaient vouloir quitter la toile, par le haut. En plein milieu, un corps avait adopté la même posture, son mouvement à peine retenu. La toile paraissait animée, les corps se déplaçant à travers les bandes de couleur.

Anne garda ses deux mains à la taille de Marc, mais se déplaça pour lui faire face. Ils se mirent à danser. Une danse sans pas. Sans nom, sans rien. Marc commença à se détendre. Il trouvait du plaisir dans ces mouvements qu'il exécutait pour la première fois. Sa partenaire était attentive à ses moindres gestes et elle le guidait à travers des vrilles dont elle seule connaissait le sens. Il la laissait mener.

Happé par la danse, Marc avait commencé à perdre ses vêtements. Sa chemise, déjà, n'était plus sur son dos, ses souliers avaient disparu, et ses chaussettes. Il n'était plus certain s'il portait un slip ou non. Il se sentait nu, tout aussi nu que les formes anonymes sur le mur. Tout aussi libre aussi. Anne l'avait imité. Son insouciance l'enivrait. Son corps était beau, sa peau était lisse.

Il n'avait pas encore commencé à la désirer qu'ils faisaient déjà l'amour, son sexe dans le sien et ses mains accrochées à la base de son dos. Ils étaient debout, assis, couchés, et le rythme de leur respiration l'entraînait de plus en plus profondément dans ses propres souvenirs. Il y avait une épaisseur au tapis qui n'avait rien à voir avec le musée. Une épaisseur de chair, dense comme un cou.

Marc ne parvenait pas à retenir ce qu'ils faisaient avec leurs mains, pourquoi leurs hanches cognaient l'une contre l'autre avec une telle force. Ses pensées lui jouaient des tours. Il tentait de voir Anne de face, de trouver un peu de calme dans son visage, mais celui-ci se défilait et semblait tout aussi vide que celui des corps en transe de Matisse. Il était surpris de la faible place qu'occupait Anne dans leurs ébats. Elle était là, dansant avec lui, ceinturant son corps avec ses jambes ; mais, en même temps, elle ne disait mot, elle n'était pas là. Elle se faisait opaque. Il se sentait seul, un corps parmi d'autres engagé dans une danse solitaire. Elle l'avait amené ici, animée d'une force et d'une vie dont il ne comprenait plus le principe, et au moment ultime elle se dissipait entre ses doigts. Le don de son amour ne goûtait rien. C'est cela, se dit-il, elle ne goûte rien, rien d'autre que de vieux souvenirs.

Au moment de jouir, il ressentit un très vif élancement à la tempe gauche, comme si un coup lui avait été asséné, et il en perdit presque connaissance. Hébété, il eut le temps de se retourner vers les marches. La salle était plongée dans l'obscurité. Une ombre passa dont il ne perçut que les contours. Il entendit un klaxon résonner dans le lointain. Il rêva pour la seconde fois à l'accident de Kurt. Il était dans sa voiture, dans son habitacle rouge et blanc ; et le temps se figeait au moment ultime, juste avant que le camion ne percute sa portière de droite et que le phare de gauche ne se brise sous le choc. Des éclats de vitre s'enfonçaient dans sa joue. Il se sentit immobilisé et des souvenirs, qu'il ne savait plus porter en lui avec une telle précision, le pénétrèrent de toutes parts. La douleur était grande. Il chercha à se retirer, à se blottir dans le creux de son corps.

Étrange, se dit-il au réveil, ce qui nous passe par la tête quand on sent la vitesse nous projeter vers le haut, en pleine nuit et dans le silence d'une respiration tout à coup coupée. Je ne me souviens déjà plus de rien.

C'est vide, se dit-il encore, en regardant tout autour de lui et en ne retrouvant Anne nulle part, pas même sur la toile de Matisse, qui lui semblait maintenant beaucoup moins vive et mouvementée. La salle baignait dans une lumière faiblement orangée. Il ne se sentait pas soulagé, ni même satisfait par cet acte commis dans un lieu public. Il sursauta. Il s'était endormi, avait même rêvé et personne n'était venu le réveiller. Personne n'était survenu quand ils avaient fait l'amour, pas même un garde. Comme si le musée était vide, un dimanche après-midi.

Il oublia son mal de tête, qui le tenait toujours à la tempe, et sortit en catastrophe de la salle. Le musée ne baignait pas dans l'obscurité. La lumière du soleil, qui provenait des grandes fenêtres du rez-de-chaussée et de l'étage inférieur, striait l'espace de bandes incandescentes. Il monta l'escalier pour rejoindre le hall d'entrée et fut frappé par la désolation du lieu. Il n'y avait personne, pas même un employé. Il retourna à l'exposition de Derain, monta plus haut vérifier s'il n'y avait pas quelqu'un dans les salles d'expositions temporaires. Personne. Quelque chose n'allait pas. Il avait dû se perdre quelque part. Il n'aurait jamais dû s'endormir. Pourquoi avait-il suivi Anne jusqu'à la salle de *La danse*? Anne…

Il dévala les escaliers, courut à travers la pièce des Delaunay et pénétra en coup de vent dans la salle aux cadres. Pas une âme. Il s'avança de quelques pas sur le marbre blanc de la pièce, laissant résonner ses talons contre leur surface rigide. Il regarda sur les murs.

Les cadres avaient été complètement vidés de leurs écritures. Il ne restait plus que du blanc, celui du papier. Tous ces mots illisibles avaient cessé d'exister. Et ils étaient morts pendant qu'il dansait. Il ne se souvenait plus de son nom, ni de son âge, perdu dans le fil de sa vie. Il ne savait plus rien, il était blanc comme les fiches sans mots sur le mur.

Mais tout n'avait pas été effacé. Les photographies étaient intactes, espacées de façon régulière, à chaque cinquante-deuxième cadre. Il choisit de les examiner de près. À son plus grand étonnement, elles contaient toutes la même histoire, la même petite suite d'actions, loin, très loin de ce qu'avait décrit Anne. Disparues les scènes du début du siècle à la campagne, les vieilles usines, les boulevards vides, les portraits d'hommes à moustache et de femmes aux robes amples ; ils étaient remplacés par une seule et longue séquence, celle du rêve. Une voiture à l'allure sportive qui filait à toute allure, en pleine nuit, et tentait sans succès de dépasser une caravane de camions. La pénultième photographie montrait un visage écrasé contre le métal, la tempe gauche ouverte et des yeux perdus dans une extase qui ne pouvait avoir que la douleur comme source. Marc poussa un cri.

Il courut d'une image à l'autre, recomposant le mouvement de la scène grâce à ses propres déplacements. Il devait se pencher pour regarder celles du bas, se mettre sur la pointe des pieds et se plier le cou par en arrière, dans la douleur, pour celles du haut. Il en était essoufflé, sa respiration était rauque. Sur l'une des photographies, l'œil du camion fit surgir en lui un flot de sensations, qu'il ne pouvait contrôler et qui lui révélèrent son état d'esprit comme la voiture entamait sa dernière manœuvre. Il était perdu dans ses pensées, les yeux fixés d'une façon artificielle sur la route, ses mains sur le volant un pâle reflet de ses doigts contre une peau.

La dernière photographie délaissait le double choc des carrosseries qui se heurtent et de la tôle qui frappe le sol en se pliant, pour montrer ce qu'il pouvait rester de l'accident de nombreuses heures plus tard, des bouts de tissu, des traces de sang, des petits morceaux de vitre, scintillant çà et là sur l'asphalte. Il y en avait trois surtout, qui ne dessinaient plus un triangle, qui ne l'avaient peut-être jamais fait. Trois fragments qui n'en faisaient qu'un seul. Sang, tissu, tessons.

Marc entendit du bruit. Il se retourna de nouveau. Cette fois, pourtant, l'ombre ne se dissipa point.

— Kurt!

Le nom résonna dans la salle.

— Kurt, je ne peux pas le croire, tu es venu me rejoindre.

— Marc.

— Non, ne dis rien. Comment es-tu venu? Je préfère ne pas y penser. Déjà que, sur les cadres, l'accident. Mon rêve, ta mort.

— Je n'y suis pour rien.

— Mais justement, il aurait fallu prévoir. On ne meurt pas sans se préparer. Il faut penser aux autres. Qu'est-ce que je vais faire maintenant? Je ne veux pas devenir fou. Tessons.

— Quelquefois, nos choix se réduisent à peu de chose.

— Je n'étais pas attentif à la route. Quelque chose m'obsédait, mais je n'arrive pas à le retrouver. À quoi pensais-tu? Je n'avais pas toute ma tête. Avais-tu trahi? Qui avais-tu trompé, Kurt?

— Il n'y a pas de Kurt.

— Est-ce cela que tu fuyais? Ton nom?

— Il n'y a jamais eu de Kurt. Il n'y en aura jamais.

— Et j'aurais inventé notre amitié, notre rencontre, toutes ces années passées à nous côtoyer?

— Tu ne les as pas inventées, mais elles n'ont pas été vécues.

— Quoi alors ? Même l'accident d'auto ?

— Non. Celui-là, tu l'as bel et bien eu. C'est ton accident. C'est ta tempe gauche qui s'est ouverte sous le choc, Marc.

— Pourquoi m'appelles-tu ainsi ? Ce n'est pas mon vrai nom.

— C'est un bon nom, un nom d'éveil.

— Anne me l'a donné. Elle m'a abandonné.

— Mais elle t'a amené jusqu'ici. C'est à moi de t'aider à faire le dernier geste. Viens, il est temps.

— Non. Si je t'ai rêvé, pourquoi nous sommes-nous rencontrés, il y a dix-huit ans ? Ces années ont existé, j'en porte les marques sur mon corps. Regarde ma peau blanche et livide, mes veines qui transparaissent, mes joues saillantes.

— Toutes ces années ne sont que des mois.

— Et d'où me viendrait ce corps ?

— Des mois de coma. Il est temps de quitter le musée.

La mante artificielle

Il me fallait aller à la banque, ce matin, à mon coffret. Je redoute les coffres-forts, l'écho de leurs chambres, le gris des parois, les tiges métalliques, les manettes, l'épaisseur de la porte. Quand le coffre se referme, l'air comprimé émet un dernier râle. On reste pris, encerclé de serrures et de tiroirs. Des sarcophages de fer et de laiton. Je crains toujours de ne plus pouvoir en sortir. Plus rien de ma présence ne transparaît au dehors. Et je m'impatiente à l'idée qu'on pourrait m'y abandonner, comme une âme captive, sans rien pour me faire entendre.

J'y allais pour déposer mon testament. Mon premier. J'arrivais de chez le notaire qui m'avait dit de partir l'âme en paix. J'avais signé et la plume tremblait entre mes doigts. J'avais froissé mon nom, mes initiales ne se ressemblaient plus. Il m'arrive souvent d'être fébrile, dans les grands moments. J'aplatis les voyelles et casse les consonnes. Le notaire m'a dit qu'il en restait assez pour m'identifier. Je suis descendu dans la rue, mon sac lourd d'un document mutilé.

Je léguais tout à Amélie. Les quelques biens que j'avais accumulés, l'appartement où nous habitions, mes économies, mes papiers, mes disquettes. Je lui laissais surtout ce que je venais à peine d'hériter, une fortune en devises étrangères, en fonds mutuels et en titres de propriété. Des actions du monde entier.

Mon père était mort le mois précédent. D'une embolie cérébrale. Fulgurante. Son assistant à l'Institut l'avait retrouvé nu, étendu sur le tapis, au milieu de ses objets, ses masques, ses couteaux aux lames rouillées, des pierres polies. Ses yeux, m'avait dit le médecin, portaient encore la trace d'une extase infinie. Il était mort heureux.

Je n'étais plus un fils depuis longtemps et me retrouver, d'un coup, orphelin m'avait secoué. J'avais laissé, dès l'enfance, mon père à ses tribus primitives et à ses récits de voyage. On apprend à ne plus se soucier de ceux qui nous abandonnent. Un anthropologue n'a que faire d'un fils légitime. Sa vie est encombrée de mythes d'origine, de cultures ancestrales et de tabous. La sienne n'avait cessé de l'éloigner de moi. J'avais presque réussi à l'oublier et sa mort me rappelait à l'ordre.

On m'avait téléphoné à mon laboratoire. Je travaillais à une étude sur les mantes religieuses. J'observais le comportement reproducteur des femelles en situation de stress. Leurs pattes antérieures sont articulées et elles miment le mouvement du fouet qui claque. Du bout d'un bâton, je déplaçais des brindilles, attentif à leurs réactions. Leurs têtes se tournent d'un mouvement sec et précis. Mes cahiers étaient remplis de notes. J'en transcrivais des parties à l'ordinateur.

Le préposé parlait d'une voix éteinte. Je devais me présenter à la morgue pour identifier le corps. Des papiers devaient être signés. Il me fallait récupérer ses affaires. J'étais abasourdi. L'homme parut étonné que je ne le sache pas déjà. Les mantes, intriguées, épiaient mes réactions.

La mort est un labyrinthe administratif. J'ai tout signé, les yeux fermés. Seul héritier, je devais répondre de tout. Le corps a été incinéré sans délai. Les gens de l'Institut ont célébré une messe où se mêlaient des rites du monde entier. L'urne a été déposée dans les dédales du columbarium. Des souvenirs d'enfance refluaient. Des scènes d'aéroport, des matins de brume. Amélie m'a tenu la main tout ce temps, inquiète de mes silences.

Amélie Turing. Depuis le début de notre liaison, ma vie avait basculé. Je ne travaillais plus pour oublier. Mes mantes devaient parfois m'attendre jusque tard dans la journée. Je passais de longs moments dans la lune. Nous nous étions rencontrés, six mois plus tôt, à Melbourne, au congrès de l'Association internationale d'entomologie et, depuis ce temps, nous ne nous quittions plus. Elle faisait une thèse sur les abeilles et le rôle des essaims dans leur cycle reproducteur. Je l'appelais ma reine. Ses yeux étaient couleur d'ambre. Son souffle glissait sur mon dos comme de l'huile.

Je lui avais offert des fleurs après sa conférence. Nous étions rentrés par le même avion. Elle avait emménagé chez moi deux mois plus tard, ses affaires dispersées çà et là dans l'appartement. Un peu d'elle partout. Je la serrais dans mes bras, je lui mordais le cou, posais mes lèvres dans le pli de son aine. Son anneau au nombril chatouillait mon oreille. Nous dormions dans des draps mordorés. Trois mois plus tard, mon père mourait, nu dans son bureau. Et au salon funéraire, les cendres à peine refroidies, les épaules encore raides du deuil, je lui avais demandé de m'épouser. J'avais bredouillé ma question. Amélie, ses yeux fermés comme une rose, ses mains calées dans mes aisselles, avait tout accepté. Corps et âme.

Au Palais de justice, nous avions signé le registre, accompagnés d'amis qui nous servaient de témoins. Amélie était rayonnante. Nous avions fait l'amour tout l'après-midi, du champagne renversé sur les draps. Nous avions juré de tout nous donner. J'ai pris ces mots au pied de la lettre.

Quelque temps après, je passais enfin à la banque déposer mon testament et rien ne me préparait au choc que j'allais subir. Le coffret était là, ouvert, son contenu étalé sur le bureau, et j'en avais le souffle coupé. On avait joué dans mes affaires. Le commis m'a posé une question. Je ne sais plus ce que j'ai balbutié. D'un geste de la main, je lui ai fait signe de se retirer. L'air sentait le camphre.

Entre mes papiers éparpillés, mon extrait de naissance, les disquettes de ma thèse, des boutons de manchette centenaires sertis d'opales, une bague de fiançailles, un papillon noir strié de vert préservé dans un étui, deux soldats de plomb montés sur leurs chevaux, une photographie de ma mère encore jeune et belle, mon premier passeport, mes diplômes, des lettres au papier jauni, un bracelet, entre ces souvenirs d'enfance, préservés là par acquit de conscience, se trouvait une boîte de cuir oblongue que je ne connaissais pas. Elle était fermée par un lacet noué, je ne l'avais jamais vue. Un autre que moi avait la clé du coffret. Un autre que moi l'y avait déposée.

La boîte pesait lourd. Des idéogrammes avaient été burinés sur le couvercle. Des marques noires, des ellipses et des vagues, deux figures unies par une main étrangère, une troisième aux formes étonnantes. Le cuir reste chaud, même illisible. J'ai défait le lacet qu'une simple boucle retenait. Quand on s'applique, les doigts font des bruits qui évoquent la fuite des mantes au fond des cages.

Dans l'écrin, sur un lit de velours rouge, j'ai découvert une amulette de pierre mate, ronde comme une bougie, gravée des mêmes signes que sur la boîte, corps unis à la tête, ondes régulières et cercles étirés, figure articulée aux pattes allongées. La base était plus large que le bout, arrondi comme une ogive. Une masse pleine, polie, énigmatique. J'ai dû fermer les yeux quand mon index a glissé le long de sa courbe. J'avais la mort dans l'âme. Une enveloppe était collée contre l'intérieur du couvercle, à peine cachetée. Elle contenait une carte, griffonnée à la hâte. L'écriture. Je l'ai reconnue aussitôt.

J'ai explosé! Une tempête de cris et de gestes. Le commis a dû tout ramasser. Les bijoux, les papiers, l'écrin. C'était inadmissible, un scandale. Nul ne doit accepter qu'une main étrangère porte atteinte à son intimité. Mes droits avaient été violés. Le gérant est intervenu. Son étonnement était plus grand encore que le mien. Nulle effraction n'avait été rapportée. Une erreur avait dû être commise, des chiffres intervertis. D'autres peut-être avaient la clé.

Je n'acceptais aucune explication. Il était trop tard pour réparer les torts. J'ai repris mes affaires, toutes. Je liquidais mon compte. Une autre banque me recevrait volontiers. Rien ne pouvait m'arrêter. Je suis sorti, la rage au cœur, les morceaux de mon âme déposés dans une boîte de carton trouée de toutes parts. Je tremblais encore quand j'ai rejoint ma voiture.

J'ai renversé la boîte sur la banquette. L'amulette a roulé. J'ai saisi l'enveloppe, la note. Mon père l'avait écrite. Son écriture ressemblait trop à la mienne pour que je me méprenne. Et pendant que je déchiffrais ses pattes de mouche, pendant que mes yeux parcouraient son texte bref rédigé dans l'urgence, ses derniers mots peut-être avant la mort, je me suis souvenu qu'il possédait la clé du coffret, que c'était en fait son coffret. Il avait repris ses droits. Il me laissait une dernière pierre.

Colin,
Je ne sais exactement où je serai quand tu liras cette lettre. Bornéo, peut-être, où je dois me rendre compléter des recherches. Il me reste tant à apprendre. Je te

*laisse ce talisman trouvé pendant mon dernier voyage.
Il y en a deux, je garde l'autre sur moi. Ce sont des
aumtris de la tribu des Shirka. Il n'y en a que cinq
dans tout l'univers, paraît-il. Conserve-la précieuse-
ment, si jamais tu la trouves avant que je ne revienne.
Je cherchais un lieu sûr quand je me suis souvenu du
coffret. Tu ne m'en tiendras pas rigueur.
Le vieux sage qui me les a confiées disait qu'elles
étaient des âmes artificielles, c'est la seule façon de tra-
duire ses mots. Il ne voulait pas vraiment s'en séparer.
Elles donnent à celui qui les porte un surplus d'âme.
Elles affectent la perception des choses. Il faut aussi
s'en méfier, elles mettent en danger de mort ceux qui
en abusent. Je ne sais pas encore comment ni pourquoi.
Je tenterai quelques expériences avant de partir. J'irai
ensuite sur le terrain vérifier mes sources. Ce que j'ai
entendu me laisse croire à une découverte qui déborde
l'anthropologie.
J'ai su pour ton amie. Amélie est un joli nom. Enfin, tu
t'es ouvert aux joies de la vie. Il était temps. Je la ren-
contrerai peut-être un jour. Ici ou ailleurs.*

Ton père

J'ai dû relire la lettre. Une âme artificielle ! Il n'y avait
que lui pour donner crédit à de vieilles légendes. Il avait
dû piller un temple pour se les approprier et il me rendait complice. J'ai voulu tout jeter par la fenêtre, mais j'ai
remis l'*aumtris* dans son écrin et le tout dans la poche
intérieure de mon veston. Le testament était froissé à
mes côtés.

Les mantes m'attendaient au laboratoire. Je garde deux femelles à portée de la main, dans une cage à côté de ma table. Ce sont mes compagnes de travail. Mes moindres mouvements les fascinent, le déplacement de la souris de l'ordinateur, le clignotement de l'écran, mes appels téléphoniques. J'aime le vert de leur carapace articulée, l'extension de leurs pattes antérieures, leurs yeux écartés. Je suis chaque fois séduit, ensorcelé. Le cou des mantidés est d'une humanité irrésistible. J'ai nettoyé les cages, déposé quelques larves sur des feuilles et ajouté de l'eau dans une assiette en verre.

J'avais une recherche à finir. Je me suis attablé, le visage près de l'écran, des brouillons partout. Le mâle se fait décapiter au moment de l'accouplement et l'ablation des centres inhibiteurs du cerveau assure une meilleure exécution des mouvements spasmodiques du coït. Je vérifiais les acides et les humeurs sécrétées par la mort, les concentrations en matières abluminoïdes et protéiques. Je cherchais à comprendre pourquoi les mantes, même décapitées, peuvent retrouver leur équilibre, marcher, s'accoupler, pondre, construire l'oothèque. Mes résultats étaient peu concluants.

Les claviers sont d'étranges choses. Ils crépitent et craquent. Les touches se salissent, de la mousse s'accumule sous les ressorts. Ils sont mécaniques et pourtant transmettent nos pensées à la machine. Je tape du bout des doigts et des lettres apparaissent à l'écran. Je n'aime pas que mes pensées cheminent intactes le long des fils, qu'elles se transforment en électricité et existent sans moi, captives, dans un boîtier d'ordinateur, plein de manettes et de circuits. Plus rien de leur présence ne transparaît au dehors. Je ne m'y habitue pas. L'intelligence artificielle est une éponge malsaine. Elle ne redonne rien de ce qu'elle prend.

L'*aumtris*. L'écrin alourdissait ma veste. Je l'ai sortie de sa boîte, sa base dans le creux de ma main. La pierre était rugueuse, une lave coulée depuis des siècles, encore chaude. Examinée de près, elle ne révélait rien. Une forme allongée et gravée au burin, une chandelle de pierre inerte, sans mèche pour lui donner vie. Une âme ? Je la retournais sans comprendre, du bout des doigts. Je ne ressentais aucune menace. Son corps gracile était d'une indéniable beauté. Les idéogrammes étaient précis et stylisés. Je l'ai secouée et frappée, mais il n'y avait là âme qui vive.

Je m'apprêtais à la mettre dans mon tiroir de droite, avec les vieux crayons et les trombones, quand mon regard s'est porté sur les deux mantes. Elles s'étaient avancées discrètement contre la grille de leur cage. L'âme artificielle les intriguait. Leur corps était secoué de spasmes obscurs. Une intuition nouvelle animait leur regard. J'ai avancé l'*aumtris*, elles ont sursauté. Je l'ai fait tournoyer, elles ne perdaient rien de ses cercles. Leurs pattes se sont posées discrètement sur l'amulette appuyée contre la grille. La rigidité articulée de leur carapace leur donnait des airs d'automates animés.

J'ai pris des notes. Jamais elles ne s'étaient comportées de la sorte, même face aux mâles que je leur avais offerts. Sous leur regard, la pierre se métamorphosait. Les idéogrammes gagnaient en intensité. J'ai repris l'âme artificielle. Sa surface n'était pas plus chaude, son poids n'avait pas changé. Les mantes se sont repliées derrière des feuilles séchées. Comme si j'avais rompu le contact qui s'était établi entre elles et la pierre. J'ai voulu transcrire mes remarques à l'écran et déposé l'*aumtris* sur l'ordinateur. L'explosion a été subite. Un son lourd et rond. Puis, l'écran s'est vidé, la machine s'est tue et le clavier a cessé de répondre. Seuls les néons au plafond vibraient encore.

Tout peut sauter, m'a expliqué le technicien à son atelier, un disque dur comme le reste. Rien n'est à l'épreuve du bris. Comme pour la foudre, ça peut frapper n'importe quand. Heureusement, mes copies de sécurité étaient récentes. Pourtant, je suis retourné à mon bureau l'âme en berne. C'en était trop. Le testament, l'amulette et maintenant l'ordinateur. Amélie était en cours tout l'après-midi. Je devais attendre. Le technicien ne croyait pas qu'un objet extérieur puisse provoquer des dommages internes à l'ordinateur. Une simple coïncidence. J'ai relu la lettre de mon père.

L'appartement était encore ensoleillé à cette heure de la journée. J'ai pris un long bain aux sels marins, je me suis étendu sur notre lit et assoupi en lisant. J'ai rêvé. Des ombres finement sculptées se sont collées à mes paupières. Une danse moderne aux accents primitifs. J'ai grincé des dents et refusé de m'avancer dans les dédales d'un songe souterrain. Au réveil, la main chaude et lisse d'Amélie sur mon front ne m'a procuré qu'un vague soulagement. Elle a refait le lit.

Je n'ai voulu répondre à aucune question. Je n'ai rien dit de l'*aumtris* que j'avais déposée dans ma mallette.

Nous avons mangé distraitement des restes refroidis. Ses attentions me réconfortent. Amélie, quand elle colle sa tête sous mon cou, quand ses mains se rejoignent dans mon dos et que ses genoux m'enserrent dans de légers gestes répétés, assise à califourchon sur mes jambes décroisées, elle m'ouvre comme un fruit à noyau. Mes intérieurs se retournent. Je lui raconte l'arrêt de mon ordinateur. Mon article empêtré. Mes remarques sur les mœurs nuptiales des mantidés interrompues par un bris d'équipement.

Le regard d'Amélie. Je me tais malgré tout. Sa main s'est logée à la base de mon cou, ses ongles enfoncés dans mon cuir chevelu. La chaise a craqué, lourde de nos poids superposés. Murmures mielleux au creux de l'oreille. Ses doigts détachent des boutons. Son souffle glisse contre mes clavicules. Je ris, tandis que ses os s'enfoncent dans mes cuisses comme des pieux. Certaines douleurs éveillent les sens. Je ne bouderai plus, lui dis-je, pendant qu'elle me guide vers la chambre.

Jeté à demi nu sur le lit, la chair de poule aux bras, le sexe turgescent, trop heureux de ne plus penser à mes mantes excitées par l'amulette, à mon père, aux tabous et aux abandons, à ces rêves que je refuse d'avoir eus, je la regarde se dévêtir, détacher un à un les boutons de son chemisier de soie verte, en ouvrir les pans pour dégager son bustier d'un blanc laiteux, soyeux comme un fantôme, se défaire de son jean noir qui glisse au sol sans aide, ses jambes à peine séparées, découpées par un slip aux lignes étroites, et ses fesses, quand elle se retourne pour délacer ses souliers, ses fesses, quand elle se penche les jambes raides et le dos droit, ses fesses qui ne sont protégées que par une bande de tissu qui révèle tout, une bande mince comme une coulée de bave, quand ma langue s'aventure jusqu'à la raie et qu'elle se faufile dans cette région sombre de son corps.

Je tends les bras et nous nous enlaçons, son corps sous le mien, mes doigts enfoncés dans sa chair, sillonnant ses côtes à fleur de peau, glissant de l'aine aux cuisses. Je lui mords le lobe de l'oreille, glisse ma langue le long de l'hélix, puis plonge mes dents dans sa nuque, ses épaules et clavicules. Les frémissements d'Amélie, ses feintes, ses mains portées à ses seins que je m'empresse d'effleurer entre ses doigts ouverts, son nombril percé, son anneau d'or, ses hanches rondes, ses poils. Nous roulons sur le lit, dans les draps emmêlés, mon sexe tendu entre ses cuisses, ses mains contre mes reins, son haleine chaude sur mon cou. Je ne suis plus qu'un épiderme, la pulpe de mes doigts captivée par les pores de sa peau. Son parfum ambré fait des ravages. Je la pénètre de coups intenses. Nos pubis se frappent, creusent des tranchées où se brisent des roulements graves et sinueux.

Amélie se dégage. Elle s'est relevée et je m'étends sur le dos. Elle veut m'enfourcher, mettre ma verge à l'orée de son sexe et l'enfoncer en elle. Profondément. C'est ainsi qu'elle aime jouir. Ses mains sur mes épaules, ses cuisses contre mes hanches et son bassin libre de toute entrave. Je mets mes doigts dans sa bouche, je soulève ses seins, je saisis ses chevilles sous ses jambes repliées. Et quand ses déhanchements deviennent violents, quand elle dodeline de la tête et que ses fesses frappent mes cuisses, que toute la pression de son corps se porte sur mon torse, son poids, sa chaleur, les rougeurs qui ont inondé ses joues, son regard absent, perdu entre son ventre et son âme, ses coudes qui plient sans cesse, je m'enfonce dans mes désirs, dans les rythmes irréguliers de mon cœur, l'équilibre fragile de mon pouls et de mon gland, je me retiens, j'essaie de me croire ailleurs, hors de mon corps, loin de cette jouissance que je ne veux précipiter, témoin désintéressé de ces ébats, de cette nuque qui plie comme le bassin se déploie, esprit vagabond qui se fraie un chemin dans ses souvenirs récents, le testament, l'amulette.

Amélie a rejoint sa jouissance et ses coudes cèdent. Son corps s'affaisse sur le mien, sa peau glisse, sa tête s'incline. Elle crie sa jouissance et son élan l'amène à se blottir contre moi. Les spasmes traversent son corps et elle me mord le cou. Rien ne peut l'empêcher. Ses dents s'enfoncent dans ma peau, elles fendent les muscles, lacèrent les tendons, touchent des matières organiques, hormonales. Ses mâchoires se serrent, ses yeux se ferment et la douleur se propage jusqu'à mon dos. Sa morsure est brutale. Si j'avais cru pouvoir me retenir, prendre mon temps sur son corps défait par l'orage, je m'égare à mon tour dans les ondes de la jouissance. Mes jambes se tendent, mon bassin se lève. Sa morsure est mortelle. Je projette Amélie vers l'avant, je l'expulse de mon torse et, comme les dernières vagues se brisent, retombe amorphe sur le lit, ses dents encore présentes à mon esprit, blanches et humides.

Elle s'amuse de ses réflexes, des morsures qu'elle m'inflige quand plus rien ne la retient. Ses dents laissent des marques rouges et bleues sur ma peau. Amélie se colle contre moi, sa tête sur mon épaule, sa main à plat sur mon sternum. Elle me dit qu'elle m'aime. Je l'étreins encore un peu. Je remonte les draps. Nous sommes au chaud. Je me sens enfin dégagé du vague à l'âme de la journée. Je l'aime. Je lui confie tout. Le testament que j'ai rédigé et que j'allais, ce matin, déposer à la banque. Elle se met à pleurer. Je ne l'avais pas prévenue. Elle ne veut rien. Et si je meurs, encore moins. Je l'embrasse.

Je continue avec la lettre de mon père et l'*aumtris*. Amélie sait que je le déteste, que sa mort a été une délivrance. Elle s'étonne de ce don et demande à voir l'âme artificielle. Elle veut la soupeser, la toucher. Quelle drôle de chose, dit-elle, en la prenant dans sa main. Je fais la moue. Je la voudrais sévère, irritée, perplexe, alors qu'elle sourit, affectueuse. Elle détaille les idéogrammes du bout des doigts. Elle veut lire la lettre. Un surplus d'âme. Elle est enjouée. Comment ajouter un surplus d'âme à un être déjà vivant? On n'ajoute rien à la vie. Je lui raconte la réaction des mantes, leur curiosité piquée par la pierre, leur regard presque humain au contact de l'âme. Puis l'ordinateur qui a flanché.

Amélie est intriguée. Elle l'essaierait bien sur ses abeilles. Elle retourne l'*aumtris*, la plaque contre son buste, pour en mesurer la température, la densité, le charme. Elle tend la langue. Je l'arrête. Sans raison. Elle la frotte contre ma joue, pour m'amadouer. Je me choque. Cette chose porte les empreintes de mon père. Ce n'est pas un jeu. Elle met sa main sur mon sexe. Je me défile. Elle se met à rire, à se tordre de rire. Une avalanche d'éclats et de secousses. Évidemment, un surplus d'âme, finit-elle par indiquer, entre deux hoquets, rien de plus évident, c'est un godemiché! Un gode primitif! Mais si, regarde, la forme allongée, les ondes et les cercles gravés qui symbolisent la jouissance, le corps articulé. Ce ne peut être rien d'autre, ton père t'a légué un godemiché.

J'ai failli la frapper. Une colère froide et sombre. C'était déplacé, avoue-t-elle, je n'ai pas pu m'empêcher. Elle me cajole. Je me laisse faire. Le téléphone sonne. Un interurbain. Je me lève pour le prendre. Je passe à mon bureau. Charles, mon ami d'enfance. Il travaille au loin. Nous parlons des heures. J'entends Amélie, de la cuisine, m'offrir une tisane. Je ne réponds pas. Elle retourne se coucher. Mon ami est intarissable. Ses nouveaux contrats, sa vie. Je l'écoute en silence.

Je retourne à la cuisine me servir à manger. Je passe devant notre chambre. Amélie dort déjà, ensevelie sous les couvertures, la tête tournée vers le mur et la lampe de chevet toujours allumée. J'irai lire au salon. Je m'avance discrètement pour éteindre la lampe. Je contourne le lit. Je me penche vers la table de nuit. Je jette un dernier coup d'œil à mon amour assoupi. Et ce que je vois, je ne le comprends pas. Ses yeux sont ouverts, les pupilles disparues dans les globes. Je me redresse. Amélie! Elle ne répond pas. Amélie! Je la secoue. Amélie! Je mets ma main sur sa joue. Flasque.

Elle est morte. Je colle mon oreille contre sa bouche. Amélie ne respire plus. Sa langue sortie laisse une traînée de bave à l'aube de mes tempes. Je crie son nom. Je tire ses cheveux. Je n'y crois pas. Je m'étends de tout mon long sur son corps inanimé. Je frappe le lit à coups de poing. Je prends ses mains dans les miennes. Je les masse. Ses doigts ne remuent plus. J'arrache les draps. Son corps nu m'étourdit. Ses jambes sont inertes, ses hanches placides. À genoux sur le lit, je me prosterne sur son corps, ma tête s'enfonce dans son ventre. Sa peau déjà n'est plus la même. Et je vois, entre ses cuisses légèrement écartées, à l'orée de sa vulve, raide et souillée, grave et mortelle, la forme allongée de l'*aumtris*.

Une embolie cérébrale, me dit le médecin. Vous n'êtes pas responsable. Cela peut arriver n'importe quand. Elle n'a pas souffert. Veuillez signer l'avis de décès. Je longe les couloirs de l'hôpital sans savoir où je vais. Amélie est morte. Mon amour. Je m'enfermerais dans un cachot, jusqu'à la tombée de la vie. Ses parents viennent me consoler. Ils sont défaits, mais ils restent unis. L'épreuve les a rapprochés.

J'erre dans les rues, mes pieds lourds sur le ciment, mes épaules affaissées, secoué par ce caillot de sang qui a emporté Amélie, et je comprends tout à coup que le même mal a terrassé mon père et ma femme. L'*aumtris* a tué les deux. Elle est dans la poche de ma veste. Je m'apprête à la jeter dans une bouche d'égout, sa forme vulgaire renvoyée dans la boue, quand ma main se contracte involontairement. Je ressens une vive brûlure. Ma paume est rouge. Une chaleur se répand jusqu'à mes doigts. Amélie. Une bouffée de son corps, de sa nuque, de ses dents. L'âme artificielle est la dernière chose à l'avoir touchée. Elle porte encore la chaleur d'Amélie. Est-ce ainsi que vit une âme artificielle ? Comme une éponge qui aurait aspiré sa vie ?

Je délire. Je refuse sa mort. Le deuil fausse mon jugement. Mon père aurait été content, il vivait de ces tabous de l'âme et du corps. Je ne réussis pas à me convaincre de jeter l'amulette au loin. Elle est enchaînée à ma main, à ma peine. Sa forme s'est incrustée dans ma paume. Un stylet qui croise mes lignes de vie et d'amour. Nous ferons corps jusqu'à la fin. Je me rends dans une clinique et me fais percer l'oreille. Je porterai dorénavant l'anneau d'or d'Amélie.

Je parcours la ville de long en large. Mon esprit s'abandonne à des souvenirs décousus. Mon père, mon enfance, les mantes au laboratoire. Il ne me reste plus qu'elles. L'*aumtris* me préoccupe. Son poids s'est accru depuis la mort d'Amélie. Que pèse un surplus d'âme ? Je n'y crois pas et en même temps... Ma perception des choses s'est modifiée. Je marche et on me regarde étrangement. Une femme m'accoste. Elle croit me reconnaître. Je veux qu'on me laisse en paix. Son poignet laisse un mince filet de musc sur mon bras.

Le laboratoire, où je me réfugie à la fin de la journée, baigne dans une lumière verdâtre. Mon ordinateur est revenu de l'atelier. Les deux mantes écartent des feuilles pour me regarder arriver. Elles sont de connivence. Leurs yeux me fixent avec une inquiétante tendresse. Savent-elles ? La lenteur mesurée de leurs gestes, tandis qu'elles s'avancent à travers le feuillage, en procession l'une derrière l'autre, les offrandes qu'elles me font de branches que je jurerais nouées en une couronne verte, l'attention qu'elles mettent à ne pas perturber leur environnement me forcent à penser qu'elles participent à mon deuil. Je ne sais quelle communication s'est établie entre l'âme enténébrée de leur monde et mon chagrin, mais je suis ému.

Je sors l'*aumtris* et la glisse dans leur cage. Pour me distraire. La réaction est vive. Les mantes se précipitent dans un désordre de pattes et de branches. Des cris sont presque entendus. Des feuilles sont transpercées et salies. Je vois même la plus grande décapiter la seconde. Comme un mâle. D'un geste instantané, les pattes qui s'ouvrent et se croisent. La tête roule dans les tiges séchées, les yeux fixes comme des billes, le corps désarticulé accroché au grillage. Je retire l'*aumtris* avant que la dernière mante ne retourne contre elle-même ses membres acérés. Pourquoi ont-elles réagi ainsi? L'âme artificielle les avait intriguées, la première fois. Se sont-elles battues pour en avoir la seule possession? Ou alors… Amélie. Présente dans l'*aumtris*. Elle les a séduites. Un message. Je suis prêt à croire n'importe quoi plutôt que de me retrouver seul.

J'examine l'âme artificielle à la recherche de signes d'Amélie. L'amulette n'est pas différente. Aucun autre idéogramme n'y a été ajouté. Je la frotte contre ma joue, mon cou, mes avant-bras. Je veux retrouver la chaleur d'Amélie, la volupté de ses caresses, les mélodies que ses doigts tambourinaient sur ma peau. Est-ce que je perds la raison?

Les papiers de mon père sont restés à l'Institut. Son bureau a déjà été réattribué. Ses boîtes sont entassées dans une pièce sans fenêtre ni aération. Je commence à les ouvrir, à la recherche de documents sur ses derniers voyages. Mes mains plongent à l'aveuglette pour en retirer pêle-mêle des feuilles agrafées, des carnets de voyage illisibles, des photocopies annotées. Rien. L'ampleur de la tâche m'accable. Un passé entier dans des boîtes de carton. Une vie déposée sur les fibres acides d'un papier quadrillé. Un bruit de pas me fait sursauter.

Que cherchez-vous? Je ne réagis pas mais pose une liasse de vieux travaux sur le sol, toujours préoccupé par l'*aumtris* et la lettre de mon père, par la dernière mante, par ce moment de folie qui l'a conduite à sacrifier son unique rivale, la carapace démontée de sa victime accrochée au grillage de la cage.

Que cherchez-vous? Je me retourne enfin. Un homme se tient dans le cadre de la porte. Son irritation est plus grande que la mienne. Il est beau. Je le vois à ses pommettes fortes, à ses yeux découpés en biseau et à sa posture nonchalante. On ne joue pas impunément dans les archives du département, déclare-t-il. Je vous prie de quitter les lieux.

Je le regarde de face, les mains ouvertes en signe d'innocence, et il se ravise. Un sourire apparaît. Je le suis jusqu'à son bureau.

Il m'avait prévenu que vous lui ressembliez. Je ne m'attendais pas à vous voir ici. Je peux vous aider, j'étais son assistant. Son pupitre est collé contre le mur, nous sommes côte à côte. Une photo accrochée au mur montre mon père, entouré d'une équipe. Des masques africains sont disposés çà et là. Je dis ce que je cherche. Je sors l'*aumtris* de ma poche. Sa surprise est évidente. Votre père n'avait parlé que d'un seul spécimen. Une seule âme artificielle.

Je lui raconte tout. Jusqu'au détail sordide de l'*aumtris* entre les cuisses d'Amélie, ses yeux contractés, et l'extase. J'avais refusé de la reconnaître quand j'en avais vu les traces une seconde fois sur son visage, un ravissement à défier la mort, plus fort que sa peau cadavérique, plus intense que nos jouissances partagées, un vide qui avait aplati ses rides, et ses mains qui tordaient le drap, son ventre bombé, ses rotules rondes et surélevées, les sécrétions sur le drap. Amélie avait été transportée hors d'elle-même, jusqu'à l'embolie cérébrale. Un caillot de sang parti du fin fond de son être, longeant ses veines jusqu'aux lobes, s'immisçant entre ses pensées, ses souvenirs, ses désirs, pour les remplacer par de la mort.

La pierre donne plus d'âme à qui la porte, commence-t-il par dire. La légende voulait que l'*aumtris* serve, lors des cérémonies nuptiales, à rendre irrésistible le futur époux. Et les prêtres la portaient sur eux pour avoir audience auprès de leurs dieux. La seconde âme servait de messager, elle pouvait se déplacer librement, des dieux aux hommes, au travers des murs et des armures. Votre père en avait eu vent lors d'un travail sur les rites de mariage dans les sociétés nomades. On croyait à une chimère. Et puis, il y a six mois, il était revenu exalté. Je m'en souviens. Il s'était assis là où vous êtes, amaigri, les doigts effilés, les joues creusées par la malaria, le blanc des yeux jaunis par une vieille hépatite. Et je le trouvais resplendissant. D'un étonnant magnétisme.

Sans dire un mot, il avait déposé l'*aumtris* sur mon bureau. Rien ne la distinguait, à mes yeux, des autres amulettes et talismans rapportés de ses périples antérieurs. C'est une âme artificielle, m'a-t-il annoncé fièrement. La découverte du siècle. Remonter à la source même de la vie. Conserver de l'âme dans de la pierre, de la lave séchée, du minéral. Des principes contradictoires. Communiquer avec les dieux. Il y croyait. Ce n'était plus un mythe, mais une vérité. Son problème était de savoir comment elle agissait. Comment éveiller l'*aumtris* du sommeil?

Nous avons tenté de savoir si, comme le voulait le mythe, l'âme artificielle ajoutait du charisme à qui la portait. Nous avons fait des tests au centre-ville. Il marchait devant, je le suivais, afin de noter les réactions des passants, avec et sans amulette. Il y voyait une différence, que je ne parvenais pas à mesurer. Il avait peut-être raison. Je ne sais pas.

Quels sont les signes de l'âme? Est-ce une qualité de la pierre qui peut être partagée? Votre père était fasciné par ces questions. Il a soumis l'*aumtris* à de nombreuses expériences. Je tairai les détails. Vers la fin, il s'est mis à penser qu'il fallait peut-être l'ingérer. Il ne s'en départait jamais et la portait sur lui, dans un écrin, taillé dans un bois importé et recouvert de cuir. Il doit s'agir, disait-il, d'une espèce première de métempsycose, une transmigration de l'âme qui quitte le corps pour aller se loger dans la pierre. Il était persuadé que l'âme pouvait devenir matière.

Les inscriptions résistaient à ses interprétations. Le corps articulé restait illisible, un résidu tenace. Il désirait retourner en Asie pour compléter ses recherches. Le siècle qui a vu l'intelligence artificielle s'imposer se terminera sur la preuve matérielle de l'âme, m'a-t-il dit, la dernière fois que je l'ai vu. La veille de sa mort. Il lui restait une dernière expérience à tenter.

Je suis plus embrouillé en quittant l'Institut que quand j'y suis arrivé. Amélie, es-tu réellement captive de cette pierre qui reste muette ? Quelle voie as-tu empruntée pour t'y rendre ? Es-tu seule dans ses crevasses ? Je veux te retrouver, revoir une dernière fois ton visage, sentir ta présence dans ma vie. Mon amour, dans quelle lie as-tu déposé ton âme ? C'est devenu ma vérité. L'*aumtris* fait payer cher l'extase qu'elle procure.

Je me prends maintenant à refaire les mêmes gestes que mon père. À porter l'*aumtris* à tout moment. J'ai pris congé du laboratoire. Je marche à la recherche de regards complices et intéressés. Je veux capter le désir à sa racine. Je fréquente les bars et accumule les conquêtes. Mais cela ne prouve rien. Je ramène des femmes à la maison. Je les trouve belles et désirables. Nous faisons l'amour, mon esprit perdu dans le souvenir d'Amélie, son anneau d'or, l'intérieur de ses cuisses, sa nuque, la rougeur de ses joues tandis qu'elle travaillait à sa jouissance. Mes compagnes me trouvent taciturne. J'opère de façon mécanique et froide. Je contrôle tout comme une expérience. Parfois, au moment de l'orgasme, j'ai envie de sortir l'*aumtris* de son écrin, de dégager sa tête arrondie du velours qui l'entoure et de la substituer à mon sexe. De la chair à la pierre. Mais le souvenir des pupilles d'Amélie, contractées jusqu'à ne plus laisser passer un seul rai de lumière, occupées peut-être à contempler la face d'un dieu, me paralyse. Et ma jouissance s'égare dans les filaments d'un deuil irisé, faibles contractions qui ne me secouent plus de l'intérieur, qui passent comme une marée descendante. J'ai perdu mon âme sœur.

L'*aumtris* est mon secret, l'énigme qui donne un sens à mon reste d'existence. Je lui parle, espérant ainsi rejoindre Amélie, cachée dans les imperfections de la pierre, les nervures de la lave. Où es-tu, Amélie, dans quelle anfractuosité t'es-tu logée? Je ne fais plus rien d'autre que de papillonner autour de cette âme hermétique, qui ne donne aucun signe de vie. Je lis des livres ésotériques, qui me perdent dans leurs proses divergentes. Des constructions aberrantes qui lient le monde et l'esprit, la terre et le ciel, les dieux et les hommes, dans des réseaux de communication officiels, étalés au grand jour comme des jeux d'enfants, des architectures régulières, quand je sais trop bien que les seuls échanges possibles sont souterrains, faits de corps sans cesse déchirés, d'une extase indicible, d'un sang cristallisé jusqu'au minerai. L'entomologie me manque, avec ses catégories stables, ses ordres et ses familles. Les trajectoires régulières des cycles reproducteurs des arthropodes. Mais je ne sais plus comment y revenir. Je voulais tout te léguer, Amélie, et je ne parviens même pas à te retrouver. Mon testament est un acte manqué.

Mon père avait dit qu'il fallait l'ingérer. Mais l'*aumtris* est trop grosse pour être avalée d'une seule pièce. Il faudrait la broyer, la réduire en une poudre grisâtre, en un sable fin, écho de dunes lointaines. Ou alors… N'est-ce pas ce qu'a fait à sa façon Amélie ? La mettre en soi. L'incorporer. La laisser pénétrer dans ses entrailles et agir, lors d'un contact direct, intime avec ce qu'il y a de plus profond. Quel est le siège de l'âme ? Par où s'enfuit-il ? Une pensée effleure mon esprit.

Au columbarium, on m'ouvre une salle. J'ai descellé l'urne et, de ma main gauche, sans gants de plastique, sans rien pour me protéger des os calcinés de son corps, des soupçons d'organes et d'artères, des parcelles d'ongles, je plonge dans les cendres de mon père. Je remue cette poudre laiteuse constellée de gris, je racle le fond du vase, suis son contour de l'intérieur, insensible à mes propres actes, à cette profanation de sa sépulture. Mon âme ne m'appartient plus en propre. Je cherche l'*aumtris*. Mais l'urne est vide. Vide des fragments de cette pierre étrangère qui mine ma volonté. Seules reposent en ce lieu les cendres de mon père.

Ma confusion est complète. Je voulais l'*aumtris* dans le corps incinéré de mon père, une pierre tombale introduite en son for intérieur. Le columbarium résonne de la clameur de mon dépit. Dans les allées ombragées du cimetière, entre les statues et les bouquets de fleurs, sur l'herbe taillée et à travers les haies, je fuis et me perds. Mais je ne suis pas seul. L'homme de l'Institut y est aussi, désœuvré, mélancolique, aussi beau cette fois-ci que la précédente. Il me prend par le bras. Sa peau est un parchemin. Il a tout deviné.

Je l'ai retirée de son corps avant qu'on ne l'emporte, m'explique-t-il, et l'ai jetée au fond du fleuve. Sans autre cérémonie. Je pensais ne plus jamais m'en soucier. J'ignorais l'existence d'une seconde âme. Rendez-la-moi. Avez-vous pensé que l'*aumtris* puisse n'être qu'un jeu de l'esprit, l'expression de votre peine ? Une âme imaginaire... Amélie est artificiellement vivante dans l'*aumtris*, parce que vous n'avez cessé de l'y mettre. Sans vous, cette pierre ne serait rien. Un vulgaire bibelot. Les âmes ne migrent pas. Elles disparaissent avec la vie. Votre père s'était égaré, ne commettez pas la même erreur. Amélie est morte. Personne ne pourra vous la rendre.

Je le regarde sans comprendre. De quel droit intervient-il dans ma vie ? Ce n'est pas moi qui ai scellé le sort d'Amélie, en projetant sa mémoire sur l'*aumtris*, c'est la pierre qui l'a fait, en l'aspirant d'un souffle. Et je le prouverai. L'*aumtris* est dans ma poche, je sais ce qu'il me reste à faire. Une expérience concluante. La seule possible. J'en aurai le cœur net. Je dégage mon bras.

Au laboratoire, à la tombée de la nuit, les locaux sont abandonnés. J'ai conservé les clés. Je rejoins sans délai mon bureau. L'ordinateur a disparu, réquisitionné. Seul son emplacement est encore marqué par la poussière sur le bois vernis de la table de travail. Les ombres sont tenaces, elles ne disparaissent pas sans laisser de traces. La mante religieuse est dans sa cage, immobile comme une idole. Elle paraît minuscule. Je m'assois en face d'elle. Amélie, je sens ta présence. Tu m'habites, comme aux premiers jours de notre amour. Nous serons ensemble sous peu à contempler les dieux.

Je sors l'amulette. Ses idéogrammes sont précis. Les corps unis à la tête, les cercles allongés, les ondes, l'énigmatique figure au corps articulé. Une vague de chaleur me submerge. Une révélation chaude comme le sang. Le corps dessiné à la surface de l'*aumtris* est celui d'une mante! Une mante *simulacre, éclaboussée* ou *mouchetée, salie, ornée, pieuse, prêcheuse* ou *religieuse*. Mais une mante. L'*aumtris* est une mante artificielle! Il ne m'en faut pas plus.

Je me déshabille. Les yeux fermés, dans une cérémonie rythmée par mon pouls, je retire ma veste, détache un à un les boutons de ma chemise, me défais de mon jean noir qui a glissé au sol sans aide, mes jambes à peine séparées, puis fais glisser mon caleçon blanc, soyeux comme du lait, jusqu'à mes chaussettes, avant de m'en débarrasser d'un coup de pied. Il ne me reste plus que l'anneau d'or d'Amélie. Je ne reculerai pas.

J'ouvre la cage et capture la mante hypnotisée par mon rituel. Je la prends, ses frêles pattes nerveuses dans la paume de ma main droite, sa tête nichée dans un pli. Je saisis ensuite l'*aumtris*. Je connaîtrai bientôt la vérité, comme mon père. Je me mets à genoux, en écartant les cuisses, les fesses sur les talons. Il faut faire vite. Le sol est froid, la lumière est drue. Amélie. Je serre très fort, jusqu'à ce que la mante expire, son exosquelette broyé par mes doigts, un liquide chaud et visqueux dégoulinant le long de mon poignet droit. Je respire une dernière fois et, tandis que je bande sans raison, accroupi sur les tuiles, de la main gauche, je commence à introduire la mante artificielle.

Table

Du même auteur

À l'écoute de la lecture, Montréal, VLB éditeur, coll. « Essais critiques », 1993.

Récits et actions. Pour une théorie de la lecture, Longueuil, Le Préambule, coll. « L'Univers des discours », 1990.

Lecture littéraire et explorations en littrature américaine, Montréal, XYZ éditeur, coll. « Théorie et littérature », 1998.

XYZ
éditeur

Extraits du catalogue

Cet ouvrage
composé en Palatino corps 12 sur 16
a été achevé d'imprimer
en octobre mil neuf cent quatre-vingt-dix-huit
sur les presses de
AGMV/Marquis,
Cap-Saint-Ignace (Québec).

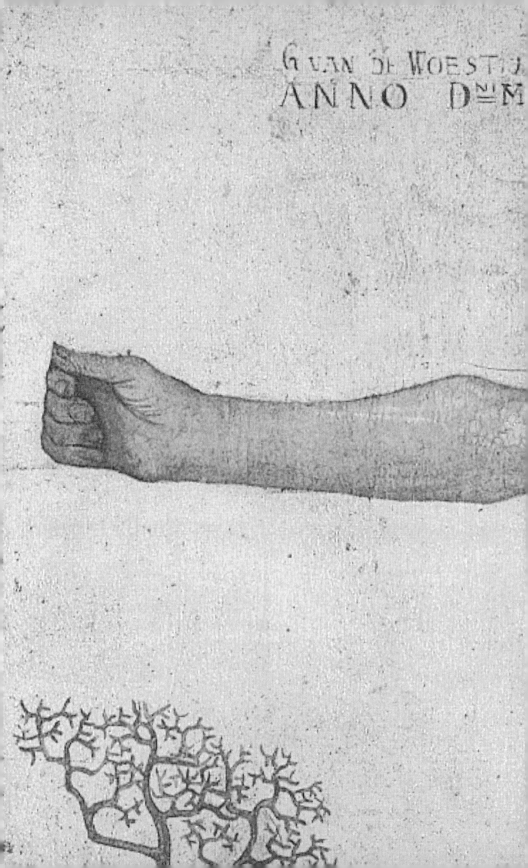